LA HABITACIÓN AL FONDO DE LA CASA

LA HABITACIÓN AL FONDO DE LA CASA

JORGE GALÁN

Valparaíso
EDICIONES

Colección VALPARAÍSO DE NARRATIVA

Diseño de portada y maquetación: Chari Nogales
Imagen de portada: Maggie Taylor, *The Reader* (2002)
Fotografía de autor: Antonio Olmo

Primera edición: octubre de 2013
Segunda edición: enero de 2014

© Jorge Galán, 2013
© Del prólogo: Almudena Grandes
© Valparaíso Ediciones
    C/ Profesor García Gómez, 6, 1º 18004 Granada
    www.valparaisoediciones.es

ISBN: 978-84-941036-9-8
Depósito Legal: GR 1768-2013

Impreso en España - *Printed in Spain*
Gráficas Gami

PRÓLOGO

LA PRODIGIOSA VOZ DE MAGDALENA

En la habitación al fondo de la casa, una anciana habla y un hombre joven escucha.

Con tres elementos tan sencillos en apariencia, Jorge Galán vuelve a escribir una historia universal, tan antigua como la Humanidad, moderna a su vez como el futuro. La memoria, el pozo inagotable que se alimenta por igual de la experiencia de quienes han vivido mucho y de la necesidad de saber de quienes están empezando a vivir, despliega aquí, una vez más, su formidable potencia, la irresistible capacidad de seducción que atrapa al mismo tiempo al nieto de la protagonista y al lector que avanza de su mano a través de una novela que cuenta la historia de una mujer, la historia de un país, la de todos nosotros.

Magdalena no es una muchacha corriente, pero ella misma lo ignora hasta que desea el mal a alguien por primera vez. Magdalena tiene un don escondido, perverso, impropio de una chica buena, solidaria y animosa como ella. Un don cruel, porque su simple voluntad basta para atraer la desgracia a sus enemigos pero, igual que un interruptor averiado, resulta impotente para proteger y beneficiar a las personas a las que ama. Esta misteriosa condición se convierte en la clave de un relato que reelabora la tradición del realismo mágico para transformarlo en una metáfora del destino de El Salvador, un país pequeño y amable, sujeto sin embargo a la tiranía de una implacable violencia que acabará llevándose por delante todo y la felicidad de la propia Magdalena.

La habitación al fondo de la casa es un extraordinario juego de equilibrios, un brillante tejido literario de luces y de sombras que estremecerá al lector tanto por lo que cuenta como por lo que oculta. La atmósfera transparente de los días felices de la infancia y la juventud de Magdalena, la crónica de su amor por Vicente y por sus hijos, aparece enturbiada desde las primeras páginas por un velo oscuro, una ominosa amenaza que late como una maldición sobre la vida de su familia. La maestría con la que Jorge Galán dosifica la intensidad de este enemigo invisible, impalpable pero auténtico, realza los contornos de la vida cotidiana en un San Salvador que parece demasiado tranquilo, el plácido estanque provinciano del que Rosa Bulnes —la más valiente de un grupo de muchachas, amigas desde la infancia —escapará hacia Europa y la aventura, una ciudad donde sin embargo ocurren sin cesar cosas extrañas, promesas del tenebroso futuro que alcanzará antes o después a sus habitantes.

Un niño bendito, santo en potencia, promete que caminará sobre las aguas. De ése mismo lugar llegará un día doña Prudencia, con su carga trágica de amores imposibles y las palmas de las manos lisas, desprovistas de las rayas que su primer amor se llevó con él a los dominios de la muerte. Muchos años antes, el verdadero amor de Magdalena, marido y compañero hasta el final, había llegado desde un lugar real, concreto, el Canal de Panamá, como si tampoco él llegara de ningún sitio. Su propio origen, el amor de un hombre centenario y una adolescente, le ha convertido desde el instante de su nacimiento, en un milagro.

En esta geografía improbable, amalgama de una ciudad existente y otra recreada en la memoria de su abuela, crece un niño solo y rodeado de fantasmas —las figuras de sus padres, de sus tíos desaparecidos prematuramente —a quienes sólo conocerá, como llega a conocer el mundo, gracias a las historias que Magdalena le cuenta en la habitación situada al fondo de la casa.

La escritura de Jorge Galán, sabia, limpia y tersa, revela toda la potencia de una gran historia en esta novela sorprendente, conmovedora, que instalará para siempre en la memoria del lector la frágil y poderosa voz de una mujer salvadoreña llamada Magdalena.

Bienvenidos a la magia de la emoción, al milagro de la literatura.

ALMUDENA GRANDES

A Nieves García Prados, con mi agradecimiento

NACIMIENTO MÍTICO

1

Un grito indefinible cortó la noche en dos mitades. Vino de una casa en penumbra. Lo había emitido un hombre sobre una mujer. Un grito aterrador que se prolongó lo que dura un trueno en la noche, pero luego no hubo relámpago iluminando la oscuridad sino un silencio interminable. Aunque así pareciera, no fue un grito de horror. Fue un grito de placer. El hombre del grito se lanzó él mismo en su voz a la negrura. La mujer bajo él solo emitió una serie de quejidos apagados. Su condición de madre no le permitió más, por respeto a los dos hijos que dormían en el cuarto de al lado, ambos apenas unos niños.

Desde que habían tenido hijos, apagaron sus voces al amarse. Pero esa noche para él fue diferente. Sintió algo en el pecho que le bajó hasta el vientre y le hizo comprender que no estaba sintiendo solamente a través de su carne, que también estaba sintiendo a través de su alma, y que sus movimientos, sus embestidas, el regocijo que le causaba el ritmo de amante al que se había entregado dentro de su mujer, estaba a punto de hacerle estallar.

Aunque estaba totalmente sumido en la inconsciencia del placer, se dio cuenta de lo que iba a acontecer pero no quiso detenerse. Siguió. Siguió con enorme complacencia, hasta que a través de su vientre expulsó lo que le hacía ser un hombre, su semilla, al mismo tiempo que, a través de su garganta, dejó salir en un grito aquello que le hacía un ser humano, su propia alma. Después solo quedó un cuerpo saciado. Vacío. El hombre del grito quedó muerto. Había sido un caminante y se había detenido después de casi un siglo de continua marcha. Tenía noventa y nueve años de edad y murió sabiendo que sería padre por tercera vez. Su mujer solo lo sabría algunas semanas más tarde.

2

El hombre que caminaba no tenía nombre. Cuando nació, su madre lo llamó Hijo y como no había nadie más en el cerro donde vivían, salvo los pájaros, las cotuzas, los conejos y algunos gatos de monte, no sintió la necesidad de darle un nombre. Luego, cuando creció, fue a pedir trabajo a una hacienda cercana y allí le llamaron Muchacho.

—¿Cómo te llamas? —le preguntó el capataz.

—Hijo —respondió él.

—¿Hijo te llamas, dices?

—Así me dice mi nana.

—Pues no sé qué tontería es esa, pero si no tienes nombre aquí vas a ser el Bicho, porque Hijo no te vamos a decir.

Y en eso se convirtió, en Bicho, pero como tuvo la suerte de que el dueño de la hacienda, don Eustacio, lo llamara como su ayudante personal porque se le veía más trabajador que a los otros, más rápido para aprender, más obediente, ya nadie le dijo despectivamente Bicho sino que lo llamaron Muchacho, como le decía el señor. Así lo llamaron durante unos treinta años. El señor Eustacio murió y su hijo primogénito, Eustacio Genaro, se hizo cargo de la hacienda y de los empleados, el Muchacho entre ellos, que para entonces ya sabía leer y escribir y se había convertido en un hombre: el cabello negro, los ojos rasgados, sombrero, camisa blanca de siempre que lavaba cada dos días, con chancletas de cuero que él mismo había aprendido a elaborar, con los dientes sanos, completos, sin caries, lo que les hacía decir a quienes lo conocían que era de buena raza.

—¿Y tu padre quién era? —le preguntó un día Eustacio Genaro.

—Mi mamá, que ya murió, no me lo dijo nunca.

—Y ¿dónde naciste?

—Yo viví en el cerro San Jacinto y después me vine a trabajar con su padre.

—Pero mira, tú ya no eres un muchacho, mejor te damos un nombre, aunque a estas alturas de tu vida no sé si te servirá. Mejor te decimos Hombre, que es más fácil.

Y Hombre le dijeron. Y las mujeres, al verlo, hablaban a sus espaldas:

—Ahí viene ese hombre —decía una.

—El hombre raro ese que no ha tenido nunca mujer —decía otra.

—A saber por qué, quizá solo aire tiene en medio de las patas —decía una tercera y todas reían por lo bajo.

Por aquel entonces, el Hombre tenía más de cuarenta años y no se le había conocido nunca una mujer ni él había conocido el deseo de tener una jamás. Era un hombre extraño, solitario, que cuando el patrón no supervisaba la finca por andar de borrachera, lo que sucedía muy a menudo, gustaba de hacer largas caminatas al campo, a través de los cerros o siguiendo la senda de algún río, y solía también acostarse bajo los árboles y escucharlos susurrar, y decía la gente, cuando lo veía tirado en la hierba, con los ojos abiertos y en la boca una mueca como de alegría contenida, que entendía el lenguaje de los árboles, que los árboles le contaban historias, viejas historias de mundos antiguos, tan antiguos que no eran indios los que vivían en América y ni siquiera había un continente llamado con ese nombre. Viejas historias más antiguas incluso que esta humanidad. Eso decían, que de tanto oírlo había aprendido el idioma de los árboles y el de la corriente de los ríos y el sonido de los vientos. Se contaban historias sobre el Hombre y el Hombre contaba historias a los niños y por un tiempo muy breve, entre sus sesenta y setenta años, le llamaron el Cuentista, o el Viejo Cuentista, o el Viejo de los Cuentos, y andaba de un lado a otro de la finca o en los cantones o en los pueblos pequeños y se sentaba en los parques y hechizaba a los niños con historias de magos y guerras terribles y caballeros valientes, y todos se sorprendían cuando lo escuchaban hablar de una forma tan diferente, tan culta, que nadie se explicaba dónde la había aprendido.

Cuando cumplió setenta y dos años, el hijo de Eustacio Genaro, Genaro Alberto, se hizo cargo de la hacienda porque su padre estaba muy enfermo del hígado, después de una vida entera de tomar aguardiente. Genaro Alberto consideró que el Hombre estaba demasiado viejo para desempeñar una tarea que no fuera llevar recados de una finca a otra. Y ese trabajo le dio, más por consideración que por ganas de sacarse de encima al Hombre, porque para Genaro Alberto era un tipo admirable, y no por las historias que solía contar, que algunas le había oído y le gustaban, sino porque tenía los dientes completos, no le hacía falta uno solo y los tenía blancos como espuma de mar y sin una sola caries.

—Bueno, ¿y tú qué haces con los dientes? —le preguntó un día.

—Yo me los enjuago nada más —fue la respuesta del Hombre.

—¿Solo con agua?

—Nada más que con eso, sí.

—Pero se te mantienen bien sanos, ya quisiera yo tenerlos así.

El Hombre, que no sonreía nunca o casi nunca, se permitió una sonrisa breve y Genaro Alberto pudo comprobar, otra vez, la blancura y la buena salud de esos dientes.

—Mira —le dijo Genaro Alberto —, quiero encomendarte una cosa, me vas a llevar un recado a don Fausto, el de la finca El Pital. No te cuesta caminar, ¿verdad?

—No, si yo he caminado toda la vida —fue su respuesta. Cuando era niño, había recorrido el cerro San Jacinto de palmo a palmo, desde el lado de San Marcos, donde vivía, al lado de Ilopango, solo para bañarse en el lago que hay allí. Siendo un muchacho y luego un hombre, caminaba desde la Finca hasta donde hubiera un río y unos árboles. A veces andaba durante días enteros, sin comer nada y tomando sorbos de agua de vez en cuando sin detenerse. Ya de muy viejo, solía ir y venir de una plaza a otra, de un pueblo a otro, de uno a otro cantón. Había caminado toda su vida y entonces estaba listo para caminar otra vez. Y así lo hizo. Llevó y trajo recados de la finca El Pital, de la finca El Aro de Bronce, de El Paraíso, de Los Bueyes, de Santa María, de Santa Eugenia. Anduvo una y otra vez, sin detenerse, y cuando el señor Genaro Alberto o algún capataz le preguntaban si estaba cansado, si no prefería quedarse en su rancho descansando en su hamaca, el hombre que caminaba les decía que no, que para él era mejor andar de aquí para allá todo el día, que así le daban ganas de vivir, y los hombres, los capataces y el mismo señor don Genaro Alberto, tenían a sus espaldas conversaciones como esta:

—A ese viejo, como no ha conocido mujer en toda su vida, se le quedó la fuerza en el cuerpo —decía alguien.

—Pues debe ser —le contestaban.

—Pues sí, pero ni los curas son así, si hasta los curas se echan su cana al aire y él míralo, es un bicho que anda por el monte —decía don Genaro Alberto.

—Pero qué feo es eso, ¿verdad?, no haber tenido nunca a una mujer.

—Pues sí. El señor ese ha sido bien raro toda su vida, ya apenas habla, y hoy ni las historias raras esas que contaba cuenta ya.

—Ya ni eso, es verdad —decía don Genaro Alberto.

—Sí, ya ni eso.

Por el monte andaba, dejando un recado en la finca Santa Petrona, cuando pasó por un rancho hecho de madera y de paja y oyó los quejidos de una parturienta. Se detuvo y sintió que se le llenaba la cabeza con un olor desconocido que venía de dentro del rancho y que él pensó, por alguna razón que nunca supo cuál ni sabemos ahora, que ese olor venía de las piernas abiertas de la mujer y que no era el olor de ella. Poco después, cuando escuchó el llanto del recién nacido, el olor fue más fuerte. Tan fuerte que al hombre que caminaba se le aflojaron las piernas, se sintió de pronto profundamente débil y cayó al suelo, lo que hizo que probara el sabor de la tierra, del polvo del camino por donde había andado.

Se quedó dormido allí mismo, justo donde había caído. Eran casi las cuatro de la tarde cuando se durmió. Despertó en la madrugada del día siguiente, bajo las estrellas, después de haber soñado toda la noche con ángeles con los que había conversado sobre algo que jamás contó a nadie. Entonces tenía ochenta años, y como bien decían los capataces y el señor Genaro Alberto, no había conocido mujer.

3

Al año siguiente volvió a ir a la finca Santa Petrona, y al año siguiente de ese año y al siguiente. Primero vio a una mujer con una niña en brazos, luego vio a otra mujer con la misma niña, pero de la mano, luego vio a una niña lavándose el rostro en un guacal afuera del rancho donde vivía. Era una niña de pelo liso, la carita redonda y los ojos un tanto rasgados y la piel morena, que llevaba un vestido viejo y sucio y remendado de color rojo, pero no usaba zapatos ni chancletas. Durante dieciséis años seguidos, el hombre pasó por esa finca y ese rancho.

Cuando cumplió los noventa y cinco años, sintió la necesidad, ya no de pasar año tras año, sino mes tras mes. El padre de la casa, a quien no había saludado jamás, empezó a saludarlo y hasta cruzaron unas palabras y, un día, el hombre que caminaba se detuvo a la sombra de un árbol y tuvo a bien contarle una historia. Aunque eran nueve personas las que vivían en el rancho, los dos padres y siete hijos, solo alguien más salió del lugar y fue a sentarse con ellos: la niña, que ahora tenía quince años y se había convertido en una muchacha de muslos fuertes y caderas anchas y cabello largo y negro lavado con agua de río y jabón de cuche que adornaba de vez en cuando con flores blancas cortadas en el campo. Fueron muchas tardes y muchas historias las que les contó después de esa primera tarde y esa primera historia.

Un día, el hombre que caminaba supo que era tiempo de contar esa historia que había estado guardando desde siempre, la historia de un hombre, ahora muy viejo, enamorado de una muchacha, todavía muy joven. Esa historia les contó y el padre quedó encantado, y la hija también, y antes de que la madre de la menor pudiera ir a llamar a los hermanos de la muchacha para que lo evitaran, la muchacha había cogido sus cosas y se había ido con quien, por antonomasia, ya entonces llamaban el Anciano.

El Anciano se llevó a la muchacha a una casita hecha de bahareque en una loma del cerro San Jacinto, por el lado de San Marcos, y allí, a sus noventa y seis años recién cumplidos, conoció mujer por primera vez y engendró a su primer hijo, un niño que la madre tuvo a bien llamar Pedro Luis, porque a ella, al contrario que a su marido, sí le gustaban los nombres y ella misma se llamaba Marta Tita. Un año más tarde, el Anciano quiso acostarse con su mujer por segunda vez y así lo hizo y la mujer quedó tan complacida y tan embarazada como la primera vez. Nueve meses más tarde tuvieron una niña a la que le dio el nombre de Marta Tita, como ella, y dio la casualidad de que nació un veintidós de mayo, la misma fecha que el niño anterior.

Pasaron dos años. Y entonces, el hombre que caminaba quiso conocer a su mujer por tercera vez, y así lo hizo y una noche ventosa se acostó con ella, y la mujer quedó más complacida que las veces anteriores, su hombre anciano de dientes impecables había guardado toda su fuerza, toda su vitalidad para las postrimerías de su vida y lo último que le quedaba lo dejó salir esa noche, bajo ese viento, bajo esas estrellas, bajo ese aroma que venía de afuera, de un campo de jazmines silvestres frente a la casa de barro, y todo lo dejó salir y quedó tendido, sobre ella, muerto, después de haber emitido un grito tremendo que fue como un relámpago que partió la noche en dos mitades.

4

Marta Tita era una mujer con tres hijos, un esposo muerto, un terreno para cultivo pero sin sembrar, muy pocas fuerzas tras el parto del tercer niño y ningún deseo de volver al rancho de sus padres, de donde había salido cuando tenía dieciséis años de la mano de un anciano que sería su esposo. Era 1920 cuando nació su tercer niño. Los años siguientes fueron de mucho trabajo para ella, que tuvo que hacer de su propiedad un pequeño y productivo campo de sembrados, además de cuidar algunos cerdos y unas cuantas gallinas. A pesar de su inexperiencia y soledad, todo fue relativamente bien hasta que el primer niño cumplió seis años. La víspera del cumpleaños, Pedro Luis se sintió mal, le dolieron la cabeza y los ojos y Marta Tita se preocupó mucho porque desde su nacimiento había sido un niño sano, no le había dado ni una gripe ni padecido un dolor de estómago. Esa noche lo envolvió en una manta de lana y lo acostó en la cama y le dio de beber leche fresca de vaca, hervida y endulzada con canela molida. A la mañana siguiente, el veintidós de mayo, el niño amaneció muerto y la madre desconsolada abandonó el trabajo durante un mes, que fue de puro llanto.

Un año más tarde, en la víspera de su sexto cumpleaños, Marta Tita, la niña, le dijo a su mamá que tenía dolor de cabeza y le dolían los ojos, y la madre tuvo a bien rezar y rezar toda la noche, rezar con todas sus fuerzas para que su niña no corriera la misma suerte que su hermano mayor, pero de nada valieron los rezos y los rosarios y los pedidos a los santos que conocía y a la Virgen, la niña amaneció muerta al día siguiente. La madre cayó en un estado de sopor y pensó, con enorme frustración, con una amargura insondable diseminándose a través de una lengua que sintió pesada y amarga, que sus hijos y su vientre estaban malditos por culpa de ese hombre que ella no se explicaba cómo había podido amar los años que pasó con él.

Ella sabía que lo había amado, pero una vez el hombre que caminaba murió, cuando sintió el peso de su cadáver sobre ella, lo único que pudo sentir fue una inmensa vergüenza por haber sido la mujer de un anciano. Todo el amor que había sentido por él se esfumó de una manera tan pronta como incomprensible y fue como si hubiese estado dormida y alguien la hubiera despertado con un golpe de aplauso.

Tiempo después de la muerte de la hija, cuando su tercer niño estaba a punto de cumplir los seis años, Marta Tita pensó en bajar del cerro para pedir ayuda, y no se le ocurrió otra cosa que acudir a un convento. Cogió a su niño, metió alguna ropa en un morral, y salió de su casita de barro una madrugada del año 1926. El niño, que se llamaba Vicente, también había nacido un veintidós de mayo, y ella intentaría hacer hasta lo imposible por salvarlo de la desgracia.

27

5

El convento de Santa Lucía era una casa con cuartos que desaparecían escaleras abajo en unas catacumbas donde estaban las celdas que ocupaban las monjas cuando querían alejarse de cualquier ruido exterior para rezar. El piso al nivel del suelo era, sin embargo, un sitio soleado lleno de ventanas y vitrales, rodeado por extensos jardines cubiertos por una pelambre de hierba verde y fresca. Tenía un patio interior convertido en una huerta donde las monjas habían sembrado tomates, tomillo, perejil, cebollas y papas. A la izquierda del patio había una galera con cuartones de madera y tejas donde criaban gallinas. En los años veinte, la madre superiora del convento era sor Ángela, una mujer de rostro y modales afables que escuchó con una sonrisa en los labios todo el relato de Marta Tita y estuvo de acuerdo con ella en que aquel hombre, el padre de sus hijos, había sido un brujo.

—Eso no es cristiano —dijo la mujer, y Marta Tita asintió sin decir nada—. Pero Dios no abandona a sus hijos, ni nosotras a nuestras hijas necesitadas. Puedes quedarte aquí, por lo menos hasta que pase el cumpleaños del niño. Nosotras vamos a rezar día y noche contigo. Vas a ver cómo vamos a salir adelante y tu niño va a vivir.

El día veintiuno de mayo los rezos comenzaron temprano. Las monjas cerraron el convento y no recibieron a nadie. No hicieron más que rezar rosarios y pedir por el niño Vicente, para que cualquier cosa maldita o maligna que lo rodeara desapareciera. Al niño lo enviaron a jugar al patio, a que viera las gallinas, a que cantara con madre Berenice, a que ayudara a las cocineras con un pastel de vainilla, a que aprendiera a jugar al fútbol con Cayetano, el jardinero. Por la noche lo llamaron y las acompañó en la oración. Después de cenar le dieron un vaso de leche tibia endulzada con miel de abeja y le incluyeron unas gotas de esencia de vainilla y algo más de canela en polvo. El niño se durmió cerca de las ocho y ellas lo rodearon en silencio y rezaron durante toda la noche. Rezaron por su vida y por su alma y por la vida y el alma de su madre. A la mañana siguiente, Vicente abrió los ojos, tenía seis años de edad, era veintidós de mayo de 1926 y estaba sano y fuerte y vivo y hasta contento, porque era su cumpleaños y las señoras cocineras habían preparado una tarta espléndida. El niño se levantó y se veía igual que siempre, pero durante todo ese día la mayoría de las monjas y la madre continuaron orando. La que no lo hizo fue sor Ángela, que le dijo a la madre:

—Mira, Marta Tita, a tu niño no le va a pasar nada, está molestando a las gallinas y ya fue a quitarle turrón al pastel con el dedo, el pícaro ese está feliz, no le pasa nada.

Eso se lo dijo temprano, en la mañana, pero Marta Tita rezó por su hijo durante todo el día. Fue a la mañana siguiente, cuando despertó y vio que su niño seguía vivo y riéndose y yendo y viniendo de aquí para allá por todo aquel sitio que era el convento de Santa Lucía, cuando se sintió aliviada y pudo tener paz. El niño no moriría ese día ni al siguiente ni al día siguiente de ese día. La maldición, si es que había alguna, no había podido alcanzarlo.

6

El niño Vicente convivió entre jardineros y monjas y cocineras toda su niñez y buena parte de su juventud. Tuvo
la suerte de que su madre no quiso regresar a su antigua
casa por temor a que el mal del que había huido estuviera
esperándolos. También tuvo la suerte de que las religiosas
pensaran lo mismo y le ofrecieran quedarse con ellas, para
hacer lo que hiciera falta hacer en el convento. Marta Tita
aceptó porque quería y porque no tenía otra opción. Y
allí vivió con su hijo, el niño Vicente, a quien las monjas
le enseñaron su religión, las cocineras a hacer pasteles, el
jardinero a trabajar duro con las hortalizas, y ella misma,
Marta Tita, a que debía tener fe. Pero además aprendió
otras cosas, como la costumbre de celebrar la Navidad con
un banquete fenomenal porque, en palabras de sor Ángela, es el cumpleaños de Cristo y no hay que andarse con
penurias ni con falsas consideraciones. La Navidad era la
mejor época del año en el convento de Santa Lucía. Las
monjas cocinaban pasteles, asaban pavos y pan en el horno
de leña y elaboraban arroces y flanes y bizcochos. Sor Genoveva se encargaba de organizar los villancicos y la madre
Úrsula de colocar el Nacimiento junto al niño Vicente, que
le ayudaba con las figuras de barro. Fueron años felices
porque las monjas del convento de Santa Lucía no eran

monjas aburridas ni rezaban más de lo que debían rezar ni regañaban más de lo que tenían que hacerlo. Para Vicente fue muy difícil, cuando, siendo un adolescente, tuvo que tomar la decisión de marcharse de aquel sitio donde había sido tan feliz.

Una noche, en el jardín, le comunicó la decisión a su madre:

—Yo creo —dijo Vicente —que es hora de irme. Creo que ya es tiempo.

—Ya sabía yo que un día te iba a dar por eso —dijo la madre.

—Pero es que así es la vida, mamá.

—Yo no te estoy diciendo que no es así, solo te estoy diciendo que estaba esperando que esto pasara. Que yo sabía que ibas a venir y decirme que te querías ir.

Marta Tita conocía poco del mundo, pero le dijo todo lo que sabía y dos semanas más tarde, un día de junio de 1940, despidió a su hijo en una estación de trenes. No volvería a verlo nunca más. Tres años más tarde, cuando una noche murió víctima del atropello de un automóvil, en una calle con los faroles apagados, su hijo estaría en algún lugar del Canal de Panamá. La noticia le llegó un par de días más tarde, a través de un telegrama que lanzó al mar al terminar de leerlo.

Cuando supo que su madre estaba muerta, vino a él una sensación de soledad que no había tenido nunca. Se sintió totalmente vacío, como si un abismo oscuro e insondable se estuviera abriendo dentro de él. Desde entonces se hizo más callado y adquirió la costumbre de caminar mucho en su tiempo libre, de andar de un lado para otro, la mayoría de las veces sin rumbo. Visitaba sitios boscosos donde aprendió a escuchar el susurro del viento entre las ramas de los árboles y el murmullo de los ríos y a quedarse noches enteras tendido en el suelo con los ojos abiertos, mirando hacia las estrellas, como si esperase encontrar en la inmensidad algo que le dijera qué hacer con su vida, con esa vida suya que le parecía tan extraña, porque se daba cuenta de que sus conocidos, los hombres con los que trabajaba en el muelle, iban a los bares, bebían cerveza, se emborrachaban, se acostaban con las prostitutas locales o tenían mujeres casuales, y a él no le apetecía nada de eso, jamás le había apetecido una mujer, ni siquiera cuando veía a esas europeas en las playas del Atlántico, con los trajes de baño demasiado cortos, con las piernas espléndidas al descubierto, hermosas como el sol, y él notaba esa hermosura pero también notaba su falta de deseo. Y todo eso lo hizo más introvertido, silencioso. Y esa introversión le hizo andar y andar y escuchar y escuchar más y con más detenimiento el viento en el follaje de los árboles o el mar cuando, sentado en la arena bajo el atardecer, las olas le mojaban los pies, y le parecía, cada vez con mayor frecuencia, que se estaba yendo de este mundo, que cada vez menos pertenecía a la gente. Incluso había adquirido la extraña costumbre de decirle a algunas personas nuevas que conocía que él no tenía nombre, que sus padres no le habían llamado de ninguna forma, que le habían dicho niño y luego muchacho y después hombre y que le daba igual que se refirieran a él como Juan o Gilberto o como Pablo o si querían llamarlo como a su padre, Hombre. Mucha gente entonces le llamó así durante esta época.

Pasaron los años hasta una mañana de enero de 1951. La noche anterior, el Hombre había tenido un sueño muy extraño, había visto ángeles, y aunque no recordaba más que un resplandor que le había cegado y unas palabras musitadas en una lengua ininteligible, supo que era tiempo de regresar adonde todo había comenzado alguna vez. Unas semanas más tarde recogió sus cosas, las metió en una maleta negra y se vistió con su chaqueta café, una corbata y un sombrero de fieltro. Se marchó rumbo a una estación de trenes, compró un billete y se fue del Canal y de las esclusas del Canal y del mar del Canal de Panamá, donde había vivido los últimos diez años. Unos días después, a las tres y veinte de la tarde, llegó a una estación repleta de gente y bajó del tren en una ciudad que no conocía porque en realidad nunca había vivido en ella. Caminó sin mirar hacia los lados, hacia los andenes repletos de gente en los que nadie podía esperarle, porque ni siquiera las monjas del convento de Santa Lucía podían haber venido desde Santa Tecla hasta la estación de San Salvador porque no les había avisado de que regresaba. Sin embargo, algo inesperado sucedió: una muchacha lo saludaba con la mano alzada. Él la miró un segundo. Supuso que no era a él a quien saludaba. Tenía que ser a alguien más. Él no la conocía. Jamás la había visto y de eso estaba seguro. Le pareció muy bella, la vio de soslayo, la muchacha seguía saludándolo y eso lo puso nervioso. Aquello le pareció incomprensible. ¿Quién era? ¿Cómo lo conocía? ¿Le estaría confundiendo con alguien? Entonces súbitamente pensó en algo: si la muchacha se acercaba a él y le preguntaba su nombre no lo recordaría. Eso pensó, pero en el mismo instante se dio cuenta de que sí lo recordaba, que no le diría llámeme Juan o Gilberto o simplemente Hombre, de pronto había recordado ese nombre suyo: Vicente Sánchez, y se dio cuenta no solo de que lo había recordado, sino de que también quería decírselo. Fue entonces cuando sintió aquella mano en su espalda, aquella mano pesada y caliente que había ido a buscarle.

MAGDALENA

1

Ella me dijo que era una maga y yo hubiera querido creerlo, pero ya no podía. En cambio, lo que sí podía era escucharla, retroceder con ella, verla ese día en que comenzó todo, descubrir a esa muchacha de catorce años que era entonces y observarla salir de casa envuelta en un chal de lana rojo que llevaba sobre los hombros porque era muy temprano en la mañana y era octubre y el viento era frío. Eso sí es posible, mirarla andar por la calle y al lado de ella un animal que no tenía nombre porque nadie se había preocupado por bautizarlo con uno, y que ella y sus hermanos llamaban Perro. También puedo verla entrar en la panadería, poco después salir con el encargo de pan dulce para el desayuno de don Leocadio, su padre, y escuchar, entonces, las palabras mágicas que le hicieron tener un deseo maligno. El primero.

—No te vayas a ir sin limpiarme la mierda que me dejó tu animal en la grama.

Las palabras las había dicho doña Margarita y a ella le impresionaron dos veces. Primero, porque doña Margarita jamás hablaba con nadie de sus vecinos, ni siquiera para darles los buenos días. No sabían cuál era la razón de semejante silencio, pero lo que creían todos era que había hecho una promesa a la Virgen de que las únicas palabras que saldrían de su boca serían para rezar el rosario, al menos hasta que le trajera de vuelta a su marido. El marido, que se había marchado, según él, como voluntario durante la Primera Guerra Mundial, no había enviado ni siquiera una carta en tantos años que nadie recordaba esas épocas en las que doña Margarita pasaba las tardes chismeando con sus vecinas, ni tampoco hacía cuántos años se había enfundado un vestido negro para convertirse en miembro de las Adoradoras del Santísimo Sacramento de la iglesia de Candelaria. La segunda impresión venía de que jamás se imaginó que esa mujer, que ella consideraba, ingenuamente, colindaba con la santidad, pudiese dejar salir de su boca semejante palabra. Tanto no creyó lo que escuchó que se atrevió a preguntar:

—¿Cómo dice?

—¿Que cómo digo? Que me recojas esa mierda de la grama, eso digo, o que le voy a pegar un escobazo en el lomo a ese animal.

Lo dijo fuerte, no solo para ella, también para que la oyera la gente que pasaba cerca. Lo hizo para que la muchacha, casi una niña entonces, se sintiera humillada. Magdalena —que así se llama ella, la mujer a quien puedo escuchar y no creer —no hizo más que cortar unas hojas, inclinarse, bajar la vista, recoger el excremento, y desear que un montón de palomas, quizá las palomas de los edificios del centro, volaran sobre el jardín y la casa de doña Margarita y vaciaran sus intestinos sobre toda la propiedad de esa mujer. A la mañana siguiente, cuando salió de su casa a hacer lo mismo de siempre, envuelta en el mismo chal, con el mismo animal entre las enaguas, sucedió que el viento le trajo una fetidez húmeda que al principio no pudo reconocer, pero que después de andar una cuadra, cruzar una esquina, y ver la gente que pasaba cubriéndose la boca frente a la casa de doña Margarita, media cuadra más tarde, comprendió de qué se trataba. Aquello estaba hecho un basurero. La casa y el jardín de doña Margarita, como ella lo había deseado, quedaron convertidos en una informe y jugosa plasta de excrementos humeantes de palomas. Tuvo que llegar gente de la Alcaldía a media mañana para ayudar a limpiar. La fetidez duró poco menos de una semana. Doña Margarita, presa de la vergüenza, no se atrevió a salir ni siquiera para ir a la iglesia hasta los primeros días de diciembre. Permaneció encerrada, dicen que haciendo oración, y diariamente se vio llegar a sus compañeras de iglesia cargando, o bien una olla con comida o una bolsa con víveres del mercado o veladoras para que la recluida no dejara sin luz las imágenes de sus santos. Y mientras tanto, Magdalena, que no estaba convencida de que ella había sido la causante de semejante situación, no hacía más que soñar con que sí. Lo deseaba, como es natural, y no dejaba de preguntarse si era posible que existiera semejante poder.

2

En el barrio donde Magdalena vivía cuando era una adolescente, el barrio de Candelaria, deambulaba una demente a la que apodaban la Pizpireta. A esta mujer nadie le conoció jamás parientes. Era como todos los locos públicos: apareció una mañana de un día insospechado en las gradas de la iglesia de la Candelaria, que hizo su dormitorio, y ahí permaneció, rondando el barrio, comiendo desperdicios, escabulléndose en las fiestas privadas, cargando una almohada amarrada bajo el vestido rojo, eterno y mugriento, y gritando a los cuatro vientos que estaba embarazada. Con los hombres era amable y ofrecida, si es que se le puede considerar amabilidad a la forma que tenía de llamar su atención, a la manera de acariciarle el cabello o el mentón a algún distraído que estuviese por ahí leyendo el periódico en la banca de cualquier parque o arrimado a una baranda viendo el monótono tránsito del río Acelgüate, que cortaba en dos mitades la ciudad de entonces. Con las mujeres, en cambio, era agresiva y peligrosa. Más de una vez dio una bofetada a alguna señorita que iba del brazo del novio o el marido. Muchas veces les gritó groserías y acusó al hombre de "hijodeputa infiel".

Dice Magdalena que una vez les tiró piedras a unas monjas que estaban dentro de la iglesia de Candelaria, que a una de ellas le había reventado una ceja y a otra la había dejado inconsciente con una pedrada certera en la parte frontal de la cabeza. También dice que en una ocasión, durante una procesión de Semana Santa, se había liado a golpes con una tal doña Genoveva, ante las miradas atónitas del resto de sus compañeras Adoradoras del Santísimo, y que el señor cura tuvo que echarles encima un cubo de agua para separarlas.

Me cuenta que un mal día le tiró una piedra a ella, pero sin puntería. Magdalena era entonces una jovencita de pelo al viento, liso, negro, desenredado, lavado con champú de esencia de manzanilla todos los sábados y con jabón de cuche tres veces por semana. Estudiaba en el Central de Señoritas y usaba su inmaculado vestido blanco de uniforme con el mismo orgullo que las damas de la realeza que veía en las revistas internacionales vestían sus trajes de seda diseñados por modistos franceses o italianos. Caminaba por la calle con agilidad, con gracia, y era alta, esbelta, elegante, buena moza. Tenía los ojos negros y las pestañas largas y las cejas pobladas, rectas sobre los ojos y luego curvas hacia los pómulos; y los labios, carnosos, pero un poco pálidos. Tenía catorce años y los hombres le silbaban desde las barras de las cantinas o desde las mesas de los cafés del centro o desde las bancas de los parques. La veían pasar. La veían andar sin detenerse. La veían darse aire con un abanico que le había obsequiado su gran amiga Ana Bulnes. La veían vestida de blanco y con zapatos de tacón bajo, negros como sus ojos, y la observaban arreglarse el cabello, como distraída, y subir el mentón antes de cruzar una calle, en un gesto que no era otra cosa que una llamada: véanme, miren qué elegante soy, miren qué bien formada y bella me he puesto, estoy hermosa como una escultura del Vaticano o una modelo de Renoir, igualita a las que Rosa me enseña en sus revistas de arte europeo. Y todos la miraban, observaban sus muslos dibujándose bajo el vestido blanco, notaban las pepitas duras pero todavía minúsculas de los senos, distinguían la gracia de la mano moviendo el abanico, y la observaban mirar hacia un lado y otro de la calle, con el mentón en alto, y silbaban y le decían groserías tomadas al azar confundidas con palabras tomadas prestadas de Darío, pero nadie pensaba que era tan bella como una escultura, quizá porque las esculturas son inanimadas y ella estaba completamente viva, y nadie pensaba tampoco que era como una mademoiselle de monsieur Renoir, seguramente porque Renoir era tan desconocido como lo es hoy en el barrio de Candelaria y en las cantinas, calles, cafés y parques del centro.

Así era Magdalena entonces y así caminaba por las calles, y fue quizás esa elegancia o esa insistencia de los hombres en fijarse en ella lo que provocó en la loca Pizpireta ese odio repentino que se puso en evidencia cuando le lanzó la primera piedra, justo en el instante en que mi abuela subía el mentón para cruzarse una calle. No le pegó, pero la piedra pasó muy cerca, demasiado cerca, tan cerca que la jovencita percibió su zumbido al pasar frente a sus ojos y casi se desmaya del susto. Ese fue el primer incidente entre mi abuela y la Pizpireta. Pero vinieron más, casi inmediatamente. Si la veía en la calle le hacía señas soeces y le gritaba palabrotas. En una ocasión Magdalena estaba con Diana Bulnes, la menor de las tres hermanas, y una cáscara de melón fue a dar justo en el rostro de Dianita, que no hizo otra cosa que correr sollozando hacia dentro de la casa. Al otro lado de la calle, la Pizpireta hacía señas y decía palabras llenas de odio que se han perdido para siempre. Magdalena la miró, se mordió los labios, pero no se atrevió a decirle nada. Le tenía miedo. Un miedo visceral y horrendo. Aquel asunto ya llevaba meses y Magdalena no encontraba la forma de librarse de las agresiones de esa mujer. Entró a la casa de las hermanas Bulnes, cerró la puerta con pestillo y fue a ver cómo estaba la niña. La encontró tirada en la cama, llorando, la madre junto a ella, limpiándola y pidiendo a la criada que le trajera del patio un poco de sábila para poner en el pómulo. Pobre Dianita Bulnes, una loca la había atacado, pero no a ella en realidad sino a Magdalena, con tal mala suerte que la niña había sufrido el impacto de la cáscara de melón. Y entonces volvió otra vez aquella magia extraña y terrible. El segundo acto. El segundo deseo. Magdalena deseó con todas sus fuerzas que algo sucediera. De alguna forma se imaginó una explosión dentro de la Pizpireta, algo así como que en un ataque de locura se comiera un kilo de pólvora y le explotara dentro del cuerpo. Según cuenta, lo deseó sin malas intenciones, porque no era entonces mujer de malas intenciones, ni siquiera lo fue cuando se le murieron los seis hijos y un yerno, mi madre incluida, y el yerno era mi padre, en esa noche terrible de la que apenas ha querido hablar y de la que yo no tengo sino recuerdos demasiado vagos, entre nieblas.

Pero volviendo a lo de la Pizpireta, una semana después del incidente con Diana y la cáscara de melón, la gente hacía comentarios sobre la enajenada y Magdalena se erizaba al oírlos. Entonces, un día, su madre, al volver del mercado, le dijo:

—Pobrecita la Pizpireta.

—¿Pobrecita por qué mamá?

—Dicen que se murió.

—¿De veras?... ¿Se murió? ¿Y quién dijo eso?

—En el mercado todo el mundo lo sabe, dicen que la encontraron con un gran dolor en el estómago. Cuando la llevaron al hospital ya iba muerta.

—Y ¿de qué se murió?

—Dicen que del apéndice. Que le explotó el apéndice. Pobrecita.

—Sí, qué terrible —dijo Magdalena, ya sumida en sus pensamientos, extrañada por la palabra precisa que había elegido su madre: "explotó".

Recordaba su propia palabra. Su deseo. Dudó porque no podía hacer otra cosa. Durante algunos días no hizo más que dudar, pero después de tanto discutirlo consigo misma, se sintió responsable. Una responsabilidad que, en todo caso, no le hizo sentirse mal porque no la comprendió como una culpa.

Pero los hechos eran los hechos.

Ella había deseado que lloviera excremento de palomas y deseado que la Pizpireta terminara sus días con una explosión y todo había sucedido, para su gloria o su desgracia. Magdalena, la anciana en la penumbra, se dio cuenta de que tenía poder. Entonces no conocía bien esa palabra, quizá en toda su vida nunca ha llegado a conocerla como debiera, pero entendió, de la manera más simple, que había algo inusual en ella, algo que le hacía desear tanto las cosas que esas cosas sucedían. De alguna forma se sintió orgullosa, pero guardó el secreto, supuso que no era sencillo de creer y no se atrevió a hablar con su padre para confesarle lo que ella estaba segura entonces de que era una bendición. A su madre tampoco se atrevería a contarle, porque la llevaría a la iglesia, a confesarse, y hasta quizá la obligaría a ir con doña Margarita todas las mañanas y tardes a rezarle rosarios interminables al Santísimo. Tampoco se atrevió a contarle a ninguna de las Bulnes, porque supuso que no era conveniente andar por ahí diciéndole a las amigas que ella era la culpable de la muerte de una loca y de una lluvia de excrementos humeantes sobre una casa. No era sensato y ella tenía todas las ínfulas de ser una muchacha sensata.

Decidió que no revelaría lo sucedido. También decidió que le sacaría el mayor provecho que pudiese a su extraño poder. Deseó unas cuantas buenas cosas, como que en el jardín de su padre florecieran rosas de colores nunca vistos y que su madre se encontrara, por pura casualidad, un cofre lleno de monedas de oro, y también deseó que Albertito Domínguez le llevara un ramo de flores a Anita Bulnes para declararle su repentino enamoramiento, pero pasaron los días de espera y nada de lo deseado sucedió. Nada, hasta que deseó con todas sus fuerzas que un rayo le cayera a un árbol de almendras del vecino que no hacía más que botar unas hojas que ella estaba cansada de barrer cada día. Entonces se dio cuenta de que los únicos deseos concedidos eran los malvados, porque, en pleno verano, sin lluvia o presagio de lluvia en el horizonte, una noche le cayó un rayo al arbolito de almendras, partiéndolo en dos y volviéndolo ceniza. Magdalena también entendió que no debía sentirse mal, que no era culpa suya poseer ese poder tan extraño, que, al contrario, hasta le serviría para sentirse más protegida, y que era mejor que nadie se metiera con ella porque era una mujer con poderes, una maga. Ahora deja caer sus ojos fríos y acuosos sobre los míos. Soy una maga, me repite, y aunque la escucho con una atención incansable, monótona, sin límites, sé que ella se da cuenta de que no le creo ni una sola palabra.

3

Al barrio de Candelaria y al centro los separa un río y los unen varios puentes. Candelaria es un barrio pequeño, como todos los barrios del país, y no queda nada bello en él que no sea memoria de otro tiempo. Lo parte en dos una calle amplia, un bulevar que transcurre, por lo menos en parte, a la par del río Acelgüate, el mismo río, entonces diáfano, por donde vinieron los niños de Valparaíso y el mismo que siguió Rosita Bulnes —la mayor —cuando partió con esa idea suya de llegar al mar, en aquella mañana neblinosa de principios de octubre de 1950.

La señora Magdalena suele decirme que cada calle del barrio tenía un olor diferente: la calle de la iglesia tenía un olor sepia, anciano, polvoso, el que despedían dos incensarios dispuestos a ambos lados del altar, los cuales humeaban todo el día un olor que pretendía ser espiritual pero que no era otra cosa que aburrimiento contenido en un aroma.

La calle de doña Margarita tenía un aroma rancio, de urinario, de caldero hirviendo con una poción escandalosa, un tufo hediondo y vulgar que se metía en las casas vecinas y hacía que los insectos, la cucarachas, las hormigas y los grillos murieran envenenados por aquel olor que salía de las ventanas y el patio de una casa de tejas negras donde vivía una mujer acompañada de una docena de gatos, en su mayoría negros. La mujer se llamaba Alicia y su aspecto era tan desagradable como el olor de su casa: su cabello era una maraña informe, a veces negra, a veces blanca, que le caía sobre la espalda ancha y ligeramente curva. Tenía un rostro duro, cuadrado, con una prominente nariz achatada y unos ojos diminutos que miraban con cierto recelo, como expectantes, enmarcados en cejas espesas y rectas. Su boca era delgada y sobre los labios poseía un bigote ralo, negro, que se veía realzado por una leve espesura en la comisura de los labios. En su mejilla derecha tenía un lunar de carne, amplio como un grano de maíz, de donde salían una serie de pelillos largos muy parecidos a los pelos del bigote de cualquiera de sus gatos. Le llamaban la Enlutada porque vestía siempre de negro, vestidos largos hasta las pantorrillas, sin hechura, lisos, de manga corta, además de medias oscuras y zapatos negros de amarrar. No se la veía nunca entrar a la iglesia ni salir de su casa por las mañanas. Distinto a lo que podía pensarse de ella por su aspecto, era una mujer amable, jovial y además muy querida por los vecinos y por mucha gente que llegaba a visitarla cada mañana, gente de bien, vestida con ropas elegantes, señoras acompañadas de mayordomos o jovencitas de la mano de los novios. Ella leía las cartas. Y dicen que no se equivocaba nunca...

La calle del hotelito no era una calle, sino un callejón, y olía a mar. El hotelito era una casa amplia que servía de posada para viajantes de escasos recursos que no podían quedarse en alguno de los hoteles del centro y buscaban un lugar donde pasar la noche. Tenía solamente cinco cuartos y todos estaban dispuestos de tal forma que tenían ventanas hacia el río. El dueño del lugar no sabía nadie quién era, pero lo atendía una prodigiosa mujer que en otro tiempo había sido cocinera en uno de esos hoteles del centro y elaboraba los mejores cócteles de camarones que se recuerdan. El hotelito, además de hospedar gente, vendía almuerzos, y su especialidad eran los mariscos, los pescados asados a la brasa o los camarones recién salidos del río, fritos en aceite de oliva. Si se pasaba delante del establecimiento ese olor lo llenaba todo, pero Magdalena dice que no era por eso por lo que olía a mar aquella calle sino por el río, que era el río quien se metía en el callejón y lo aromatizaba de esa forma extraña que hacía divagar a Rosita Bulnes, obligándola a pintar escenas de playas que nunca había visto, donde fornidos amantes que no había gozado jamás dormían bajo lunas luminosas que solo existían en su mente adolescente y embrujada.

La calle de Magdalena, que era la misma de las hermanas Bulnes, olía a rosales y a jazmines y a pintura al óleo. El olor de la pintura nacía en el patio de la casa de las Bulnes, donde, bajo una enramada, Rosita Bulnes tenía sus telas y sus caballetes y pasaba las tardes pintando sus cuadros con una pincelada que recordaba a los maestros impresionistas del siglo XIX, principalmente a su maestro de las revistas, Renoir, y que hacía que el señor Bulnes, padre de todas ellas, le reclamara por el dinero invertido en materiales desperdiciados en semejantes tonterías sin forma. El olor de los jazmines solo podía percibirse por las noches porque los jazmines, según decía Magdalena que le había dicho su padre, solo huelen de noche. Nacía de un predio abandonado donde crecían de manera salvaje.

—Eran blancos y parecían hechos de agua llovida y tenían un perfume delicado, pero solo olían de noche, cuando las rosas de mi casa se dormían, porque las rosas, como bien me decía mi papá, huelen mejor con la luz, al contrario que los jazmines, que despiden perfume con la oscuridad.

El olor de las rosas venía de la casa de Magdalena. Esa casa, desaparecida hace tantos años que se ha vuelto borrosa y amarilla en las fotografías de la época, hubiese sido una construcción miserable de no ser porque estaba rodeada de rosales que florecían todo el año, pero sobre todo en invierno, y que eran cuidados, mantenidos, contemplados y alimentados por la prodigiosa y botánica mano de don Leocadio de Jesús, el padre de Magdalena, quien vivió toda su niñez y buena parte de su juventud aromada por las rosas blancas y rojas que nacían en su casa, porque su padre la acostumbró a lavarse la cara, cada mañana, con una infusión de rosas y agua de río dejada al sereno de la noche, inventada por él mismo.

—Pasaron años para que se me fuera ese olor —dice mientras mira de repente hacia atrás, con el gesto que se hace si alguien nos toca el hombro y nos damos la vuelta buscando al dueño de esa mano, pero hacia donde observa no hay nada más que oscuridad y siluetas que se adivinan apenas en el fondo de la habitación en donde estamos: viejos armarios, juguetes que ocuparon sus hijos cuando niños, un baúl, una cuna inservible.

—¿Qué le pasa? —le pregunto y ella hace un gesto con la mano, un saludo que se pierde en la oscuridad. Vuelve a mirarme y está sonriendo, como si acabara de encontrarse con alguien desaparecido hace mucho —.

—Ya estaba casada y la piel de la cara todavía me olía a rosas. A él le fascinaba ese olor al principio pero después me compraba perfumes porque le desesperaba. Menos mal que con los meses se me fue porque el desgraciado hasta me besaba menos. Él creía que yo no me daba cuenta. Nunca lo hablamos pero yo sé que lo notaba. Pero bueno, en cuanto desapareció volvió a besarme como antes, como cuando nos conocimos.

Leocadio de Jesús leía todas las noches. Salvo leer, no había aprendido otra cosa en la escuela, a la que fue solamente dos años porque luego tuvo que dedicarse al trabajo agrícola en los campos de algodón y café y maíz y en las fincas de árboles frutales donde sirvió de recolector y luego de capataz. Después de veinte años en el campo, aprendió el oficio de la carpintería, arte al que dedicaría su juventud y su vejez sin intermitencia, quizá pensando que era el mejor trabajo, el más digno que podía realizar dada la casualidad de ese segundo nombre suyo, Jesús, que con tanto orgullo y respeto y veneración ostentaba, y que alguna vez le hizo pensar que su destino podía encontrarse entre las paredes de las iglesias o la oscura humedad de los reclusorios de los monjes benedictinos, idea que desechó por completo cuando embarazó y enamoró, en ese orden, a Estebana, la madre de Magdalena.

Leocadio de Jesús leía literatura más que nada, de historia un poco menos y de botánica algo más. La carpintería no le daba para comprar libros, los tenía que pedir prestados, pero lo hacía con gusto, él que había sido toda su vida tan orgulloso que jamás le había pedido nada a nadie. Cuando era un joven e inexperto carpintero, alguien le había solicitado fabricar unos muebles que sirvieran de estantes para unos libros que llenaban media habitación y se estaban deteriorando por estar sobre el suelo apilados en columnas. Durante seis meses Leocadio de Jesús visitó aquella casa y construyó los estantes, tantos que había olvidado cuántos hizo el día que le contó esta historia a su hija, pero recordaba la fascinación que había causado en él cuando, finalmente, una mañana, el dueño de la casa le hizo pasar y le mostró lo que él había construido en el patio, aquellos estantes de caoba, duros, altos, hermosos y fragantes, donde se acomodaban tantísimos libros de nombres extraños, llenos de historias fascinantes. Entonces, Leocadio, en un atrevimiento, solicitó leer un libro, uno pequeño, quizá alguna cosa de historia, y el dueño de aquella casa y aquella biblioteca frunció el ceño, como auscultando al empleado carpintero, se sonrió, y le dio a leer las aventuras de un tal Don Quijote, un libro voluminoso, extenso, pero tan interesante y jocoso que el carpintero lo leyó cada noche durante poco menos de un mes, despacio primero, inexperto, tratando de recordar las palabras, pero un poco más rápido con los días, un poco más intenso, hasta que las letras se le revelaron y le presentaron aquel mundo fantástico de dulcineas, rocinantes y escuderos impertinentes. Desde entonces, don Leocadio leyó casi todas las noches de su vida, a la luz mortecina de los candiles de gas y mechas de tela, y se hizo amigo de Dumas, Melville y Darío; conoció la historia de los vikingos y de los romanos y aprendió a cultivar las rosas más bonitas de su calle y de su barrio, con un desvencijado manual de cultivos de un tal Ramón Escudero y Polilla, editorial El Pelícano, 1902, décimo cuarta edición corregida y aumentada. Cuando los ojos de don Leocadio, estigmatizados, cansados, borrosos por las interminables noches de vigilia sobre las páginas de sus amados libros, se tornaron un poco más verdes y un poco menos naturales y las letras y las oraciones se volvieron demasiado menudas, lejanas, confusas, ilegibles, fue la hija quien leyó para él, Magda, quien, con voz lenta como la de los ríos en verano, repitió, tradujo las letras, las frases, los párrafos, las rimas, las historias, y siguió maravillando a su padre mientras se maravillaba a sí misma.

4

Pese a sus comprobados atributos mágicos, Magdalena se dedicó al Magisterio. A los 16 años entró a la escuela Normal España de Señoritas. Era un año menor que Ana Bulnes pero estudiaban los mismos cursos, se graduaron en el instituto el mismo año, y al año siguiente entraron, como unas mellizas, a la misma escuela Normal para cursar obviamente lo mismo. Y fue en ese lapso de tiempo que ambas se hicieron inseparables. Ana era una muchacha alegre, ingenua, enamoradiza. Entonces tenía el pelo liso, corto, de un color levemente cobrizo, muy bello, que hacía que su cara redonda y llena de pecas diminutas adquiriera un aspecto un tanto infantil. La gente que conocía solía preguntarle de qué país había venido, y ella, si estaba de buen ánimo, podía contestar que de Inglaterra o de Escocia o de las Islas Baleares, aun cuando no tenía la más mínima idea de dónde quedaban esas islas. Alguna vez Ana Bulnes se enamoraría de un tal Alberto Domínguez, pero sin ningún resultado, y alguna otra vez se enamoraría de un joven de apellido Quinteros, a quien trataría de embrujar para ganarse su amor.

Durante una clase de Historia, a un profesor se le ocurrió hablar sobre la Santa Inquisición y las brujas quemadas durante esa época. Lo que comenzó como una clase magistral se convirtió en un coloquio donde las alumnas y el maestro se contaron las experiencias macabras que había sufrido cada uno. Entre todas esas historias, alguien mencionó que un pariente había sido víctima de un embrujo, que lo decía porque era un muchacho buen mozo de unos veinte años y se había casado con una anciana de sesenta, fea, desdentada, con una boca apestosa a tabaco y unos ojos inyectados en sangre, y que de eso habían pasado un montón de años, que la bruja se había muerto ya y que el muchacho no se casaba con otra porque decía que su mujer lo visitaba todos los miércoles por la noche. Mi abuela me contó que esa historia le había dado ideas a Ana Bulnes, quien, por esos días, andaba enamoradísima del joven Quinteros.

—Magdalena —le dijo —, quiero que el domingo por la mañana me acompañes a un lugar, es que no quiero ir sola.

—¿Adónde no quieres ir sola?

—Tú no preguntes, solo acompáñame.

—¿Y cómo vas a hacer para no ir a misa?

—Les voy a decir que me duele el vientre, me voy a retorcer en la cama y si es de eso mi padre ni se va a acercar. Tengo que ir y tiene que ser el domingo.

Magdalena era tan alcahueta con Anita como Anita lo era con ella. Si Magdalena quería caminar más despacio frente a los cafés del centro, Ana Bulnes caminaba más despacio, le prestaba su sombrero y aguantaba los piropos que le decían a mi abuela tratando de ignorar el hecho desafortunado de que, pese a la gracia infantil de su carita, nadie se dirigía a ella. Y si Magda quería ir a la función de la tarde y no a los matinés para señoritas, a ver películas mexicanas al cine Libertad, no tanto porque fuese amante del cine sino porque le encantaba entrar a la sala minutos antes de empezar la película y desfilar entre las butacas llenas de hombres con miradas impávidas y sonrisas estúpidas y palabras asombrosamente poéticas temblándoles en los labios, era Ana Bulnes quien la acompañaba, quien iba a su lado, más que tomándola del brazo, aferrándose a ese brazo, tan nerviosa que se le trababan las palabras en la boca y tartamudeaba, por lo que prefería no decir nada, asentir o negar con movimientos de cabeza cuando Magda preguntaba si estaba bien sentarse en este sitio o en otro, y ya sentadas podía imaginarse que era por ella, por su carita infantil llena de pecas y no por la elegante belleza de Magdalena por lo que los hombres se admiraban y cuchicheaban a sus espaldas. Eso tenía que tragarse Ana Bulnes. A cambio, recibía las consideraciones de mi abuela en todas sus locuras: que si quería ir de caminata al volcán para comprobar si era cierto eso que decían de que había cuevas llenas de tesoros en el lugar, allá que iban Magda y Ana a perder el tiempo todo un día, y regresaban muertas de cansancio, deshidratadas y con los pies llenos de ampollas; que si Ana prefería ir a misa de cinco de la mañana porque la penumbra, el aire más frío, la desolación de las calles, la hacía sentirse más espiritual, allá iba Magdalena a la par de ella, somnolienta, la carne erizada por el frío, envuelta en el mismo chal de lana de siempre y bostezando de una manera tan escandalosa que casi perdía su elegancia; que si Ana quería enviarle una carta a Albertito Domínguez, allá iba Magdalena, que tomaba un lápiz y una hoja de papel, la redactaba e iba a llevársela ella misma al muchacho, lo que a la larga provocó que el joven agasajado terminara perdidamente enamorado de la mensajera. Ocasión que Magdalena rechazó de manera tajante, aduciendo lealtad para con su amiga, lo que no era otra cosa que desidia, pues al muchacho le faltaba un poco de sazón, como diría la propia Magdalena seis décadas más tarde a su nieto, el tipo inmóvil sentado sobre un sillón de tela roída en la penumbra de la última habitación de una casa donde todo pertenecía a otro tiempo, incluso ellos mismos.

Toda la simpleza por la que gustaba a Ana aquel muchacho, su pelo liso peinado con un camino en medio, engominado, su olor impecable a perfume de pino, sus manos casi femeninas, su aliento mentolado y sus estudios de leyes en la universidad y su impecable traje azul negro y sus lustradísimos zapatos de cuero y su probable destino en una casa con hijos y floreros en todas las esquinas y domingos en el cine o en el Campo de Marte, toda esa cotidiana simpleza que se vislumbraba en el horizonte de Albertito Domínguez, era lo que, precisamente, no gustaba a Magdalena, lo que le parecía tremendamente aburrido. Pero, además, ella podía darse el lujo de desechar muchachos, de alegar lealtad incondicional con la amiga y quemar las cartas de amor en el fogón donde se cocinaban los frijoles de la cena, porque, a pesar de su condición familiar, de ser hija de una repartidora de café en los cuarteles y de un instruidísimo carpintero y de vivir en una casa que era casi hermosa gracias a sus rosales pero que, por lo demás, era una verdadera pocilga de madera, ella era el placer en los ojos de los muchachos y los hombres, sus pretendientes nacían en los árboles, porque ella era espléndida, elegante y hermosa, no por herencia, no por el flujo de la sangre de sus antepasados, sino por gracia y bienaventuranza de Dios. Ana Bulnes supo que su amor de juventud estaba enamorado de su amiga Magdalena. No hubo que decírselo, ella observó las miradas, ella vio más a menudo a Alberto Domínguez por el barrio, lo sorprendió mirando al río bajo la luna y quiso creer que deshojaba margaritas invisibles. Y la vio a ella, a su amiga, ignorándolo al pasar junto a él, caminando más erguida, más deprisa. No tardó en comprender lo que ocurría y sintió unas cuantas punzadas gélidas en el corazón y una tristeza terrible, profunda, húmeda, fatigosa, y por ese recuerdo, por la memoria de esas imágenes y esa tristeza, no quiso que con su joven Quinteros sucediera lo mismo que con el tal Albertito, y cuando en la clase de Historia aquel profesor y aquellas alumnas hablaron del poder de las brujas y de sus hechizos para conquistar hombres, reunió unos cuantos pesos y se fue a visitar a doña Alicia, la Enlutada, una mañana de domingo, mientras sus padres y todo el barrio, y por tanto, todas las miradas curiosas, estaban en misa, a la que ella no acudió justificándose en un inconsolable dolor menstrual.

La casa de doña Alicia olía mal, pero no era a causa de ningún caldero donde se cocinaba una poción mágica, sino por unas varitas que despedían un humo que a algunas personas como mi abuela les parecía apestoso, y a otras, como a Anita Bulnes, les parecía relajante. Contrariamente a lo que se podría pensar de la casa, aquel lugar no tenía nada de extraño o de oscuro o de sucio. Tenía muebles elegantes, sillones de madera forrados de terciopelo color vino, lámparas de cristal colgando como arañas en el techo, mesitas de caoba donde se acomodaban jarrones chinos, delicados, pintados con paisajes de bambúes y mujeres vestidas con kimonos dorados. Una alfombra gruesa y suave se extendía a lo largo de toda la sala hasta el marco de la puerta donde comenzaba otra alfombra, diferente, pero igual de hermosa.

—Son alfombras persas —le respondió doña Alicia a Magdalena, que le había comentado lo impresionada que estaba por el suelo alfombrado.

—Qué bonitas son.

—Sí, son bonitas, pero me costó mucho traerlas, porque yo misma las cargué en uno de mis viajes, fue una aventura porque eran siete alfombras, dobladas con un cuidado que ni te imaginas, y luego estaba eso de subirlas al barco y bajarlas, tenía que pagar extra para que tuvieran más cuidado de lo normal. Es que son muy finas.

Como estaban apuradas —la misa solo duraba un poco más de una hora— no las entretuvo mucho con sus historias de alfombras persas y las hizo pasar a una habitación lateral, blanca, ocupada por una mesa circular y cuatro sillas. Tomaron asiento y Anita Bulnes le comunicó, sin el menor reparo o vergüenza, su idea de embrujar al joven Quinteros.

—¿Cree que es posible?

—Posible sí es, casi todo es posible en esta vida, si supieras los trabajos que he hecho, no tienes ni idea mi reina. Yo soy una celestina, la de parejas que he emparentado, ni te imaginas.

La boca de Ana Bulnes se fue alargando hasta convertirse en una sonrisa sostenida y los ojos se le encendieron hasta volvérseles más grandes.

—Pero puede traer sus consecuencias, eso sí.

—¿Consecuencias? ¿Como qué consecuencias? —preguntó Ana.

—Consecuencias, hija, consecuencias, es que esto así es, una hace algo y paga algo por lo que hizo, y yo lo que hago es avisarle para que después no ande diciendo que nadie le dijo.

—¿Pero qué consecuencias serían? —volvió a preguntar.

—Pues eso no te sabría decir, cada cual es diferente, es que esto es recíproco, pero no te sabría decir. ¿Me entiendes?

Ana asintió con la cabeza. Junto a ella Magda la miraba con unos ojos que le decían "vámonos de aquí", pero Anita Bulnes pensaba que debía ser atrevida porque las cosas buenas no vienen dos veces.

—Siga adelante con lo del trabajo —le dijo Ana Bulnes a doña Alicia, quien quizá hubiera querido decirle que no se metiera en esas cosas, pero no dijo nada, siguió adelante, hizo sus rituales raros, le untó algo de aceite perfumado a Ana en la cabeza, pronunció un par de oraciones que leyó de un libro negro, diminuto, sin letras en la carátula, y media hora después recibió un billete de diez colones de la mano de la ingenua enamorada, al tiempo que le aseguraba que dentro de siete días iba a tener en su puerta al tal muchacho Quinteros, a lo que Ana dijo, de inmediato:

—Dios mío, no, en la puerta de mi casa que ni se le ocurra que lo saca a escobazos mi padre.

No había pasado una semana cuando Ana ya sentía el cambio. Pero era el cambio que menos pudo imaginar: al parecer, la tormenta joven Quinteros estaba menguando. Había pasado en pocos días de huracán a convertirse en una llovizna veraniega. Ana estaba desconcertada. Y Magdalena también.

—¿Qué pasó?

—Nada... bueno, sí, pasó algo, Ernesto vino ayer.

Ernesto Quinteros le había llevado un poema escrito con una caligrafía elegante, unos cuantos versos maltrechos que intentaban describir la belleza de Ana Bulnes con inútiles metáforas de manzanas y mariposas. Rosa salió a abrirle la puerta al joven, a quien encontró vestido con traje formal, peinado con vaselina, oloroso a colonia de caballero y recién afeitado. Preguntó por la señorita Ana y Rosa le dijo que esperara, el joven le dijo que con gusto y Rosa fue a llamar a su hermana, que había presenciado la escena desde la ventana de la sala que le provocó, no un ataque de histeria pasional como supuso Rosa, sino unas enormes ganas de vomitar.

—Dile que estoy enferma —le dijo Ana a su hermana.

—¡Ah! ¿Que le diga que estás enferma? Pero qué te sucede, no es el muchacho que dices que te gusta, pues... aprovecha que no está mi padre y sal a hablar con él.

—No tengo ganas.

—Pero, ¿cómo que no tienes ganas? ¿No es lo que has estado esperando, bruta?

—Lo que estaba, pero ya no.

Rosa dio media vuelta y fue a decirle al joven Quinteros que su hermana estaba indispuesta. Y el joven se fue, no sin antes dejar en manos de Rosa un ramo de flores blancas y la hoja con el poema.

—Pero, ¿cómo es eso de que ya no sientes nada? —preguntó Magda a Ana cuando se vieron.

—No sé qué me ha pasado, Magda, no sé, yo creo que la Enlutada esa me hizo mal el trabajo. Me dejó como seca por dentro. Es que mira, vi al hombre ahí en mi casa y me pareció tan insignificante, tan feo, que no me dieron ganas de salir pero para nada.

—Guapo no es —dijo Magda.

—Pero es que no es eso, es que yo me acuerdo cómo me ponía antes, tú sabes, si hasta soñaba con él y ahora nada, pero nada de nada.

—Bien dijo doña Alicia que a veces con esas cosas uno no sabía y salían al revés.

—Miedo me da que vaya a pasar otra cosa —dijo Ana y se persignó.

—¿Ahora te vienes a persignar?

—No seas así, de veras me da miedo que vaya a pasarme algo malo, ya ves lo que dijo la Enlutada, hasta me dan ganas de ir a hablar con ella otra vez.

—No, eso sí que no, yo donde doña Alicia no vuelvo, esa señora no es de fiar, mejor lo dejamos así y que Dios nos ayude. Además, lo que te iba a pasar creo que ya te pasó.

Y de pasar, no pasó mucho. El joven Quinteros siguió llegando casi todas las tardes a la casa de las Bulnes con rosas y poemas escritos en intachable caligrafía sobre hojas de papel de China de colores durante poco más de un mes, y un día de ese mes, pasada la medianoche, lo hizo acompañado de unos mariachis y le cantó con voz destemplada unos boleros que lo único que provocaron fue una serie de improperios lanzados en manada por el indignado y desvelado señor Bulnes, quien, hasta esa noche, no se había enterado de que una de sus hijas tenía un pretendiente. El mismo joven Quinteros, desde la acera de enfrente de la casa, se encargó de informar al señor Bulnes de la situación. Incluso aprovechó la ocasión para pedirle que le dijera a su hija Ana que la amaba y que se sentía muy triste de no ser correspondido. Menos mal que le dijo esto último, porque si don Luis se hubiera enterado de que la hija le correspondía a sus espaldas, ese hubiera sido otro cuento: uno de terror. Así que el asunto no pasó a más y el joven Quinteros, poco a poco, fue dejando de llegar a la casa de los Bulnes hasta que no lo hizo más. Para entonces, ya Anita Bulnes estaba desesperada: que si salía a comprar el pan a la panadería, allí estaba el joven Quinteros esperándola, que si venía de misa a las seis, allí estaba el joven esperándola otra vez, que si iba a pasear con sus hermanas y Magda al cine o al parque, detrás de ellas iba el joven Quinteros. Una vez, el muy ingenuo contrató a un doctor y lo llevó a la casa de las Bulnes para que auscultara a la pobre Ana y descubriera cuál era ese mal que sentía todas las tardes a eso de las cuatro que impedía que lo viera. No los dejaron entrar ni a él ni al médico, pero luego, ese mismo día por la noche, se presentó con el mariachi y pasó lo que pasó. Después de eso, Ana no quedó con ganas de volver a mirar a un hombre por un buen rato. Esos días se hizo asidua de la iglesia y empezó a ir a misa, para limpiar su injuria, según ella, dos y hasta tres veces al día y hasta tuvo el valor, en una sola ocasión, de visitar la iglesia de Candelaria a las cuatro de la tarde para rezar el rosario con doña Margarita y su grupo de adoradoras. Dice mi abuela que pasó el tiempo y el asunto se sumió en el olvido, y luego, meses más tarde, algo de veras importante terminó de borrarlo definitivamente.

5

Fue en el invierno del año 49 cuando Rosa Bulnes mencionó por primera vez su idea de marcharse de su casa remontando el río Acelgüate. Quería llegar al mar.

—Ya han visto cómo es —dijo —, siempre cae un temporal que hace que el río se crezca y eso es lo que hay que aprovechar.

Era la madrugada de un día frío y las tres se dirigían a la iglesia: Ana, Rosa y Magdalena. Más tarde, cuando la misa hubo terminado y caminaban de regreso, Rosa Bulnes volvió a mencionar su intención de marcharse de casa, según ella, porque estaba cansada de los maltratos de su padre. El asunto no pasó a más entonces. Ni Magda ni Ana lo creyeron posible, menos de la forma que ella decía, yéndose en una balsa a través de ese río que ni siquiera sabían si tenía una desembocadura en el mar. Meses más tarde, en diciembre de ese año, Rosa Bulnes llegó a casa de Magdalena una noche y se sentó junto a ella en el jardín. A esa hora las rosas estaban dormidas y Rosa dibujaba con un lápiz sobre una libreta unos jazmines blancos que nacían de manera salvaje en un predio baldío enfrente de la casa. Los jazmines despedían un aroma escandaloso.

—Me voy a ir —dijo Rosa de pronto—. Ya es decisión tomada.

—¿Cuándo? —preguntó Magdalena.

—En invierno, estoy pensando hacer lo que ya les había dicho.

—¿Por el río?

—Sí.

—Pero por Dios, Rosa, si ese río ni sabemos adónde llega, y además es peligroso, te puede llevar una correntada, te puedes ahogar, o puedes terminar en Honduras o en quién sabe qué selva.

—O puedo llegar al mar, todo depende de cuánto uno crea en lo que cree.

—Yo lo que creo es que estás loca. No sé cómo se te ocurrió semejante cosa. Además, ¿de dónde vas a sacar una balsa?

—La balsa ya la mandé a hacer con un carpintero.

—¿Entonces es seria la cosa?

—Ya no soporto a mi padre —dijo Rosa, y había en su voz un hastío profundo que hizo que Magda comprendiera lo que sucedía y le perdiera un poco de respeto al señor Bulnes.

El señor Bulnes se cambiaba de ropa a la hora de cenar, bebía una copa de coñac antes de acostarse, leía en voz alta fragmentos de una Biblia en latín de rodillas al pie de la cama y usaba gorro al dormir, incluso en verano. Él creía que todas esas cosas eran parte de la buena educación. Además, había acostumbrado a su familia a tomar té a las cuatro de la tarde. También acostumbraba, los domingos por la noche, a contar a sus hijas historias sobre guerras antiguas o leer en voz alta partes de la Ilíada, la Odisea o La Divina Comedia. También solía leer, en voz más baja, algunos fragmentos de libros de esoterismo y magia, según él, para que sus hijas y su mujer estuvieran al tanto de otro tipo de realidades. Una vez llegó a asegurar que tenía la sospecha de haber vivido en épocas muy antiguas. Rosa aseguraba que había escuchado decir a su padre que había caminado por el desierto en la época de los faraones egipcios.

Magda solía verlo desde el patio cuando dejaba abierta la puerta de su despacho, inclinado sobre su escritorio, con su monóculo en el ojo izquierdo, revisando papeles o leyendo. Sonreía poco, hablaba poco y era poco efusivo con sus hijas: jamás las abrazaba en público y solía tratarlas de usted y cuando las llamaba lo hacía ocupando sus dos nombres: Rosa Isabel venga por favor, Ana Berenice acompañe por favor a su amiga Magdalena a la puerta, Diana María tráigame el periódico que dejé en mi cuarto. Pertenecía a una de esas sociedades de gente intelectual que llaman logias. Cuando tenía reunión de logia iba vestido con un traje oscuro y calzaba unos zapatos que él mismo se encargaba de lustrar y dejar briosos, como hechos de oro negro. Se echaba encima unas gotas de un tímido perfume que olía supuestamente a bosque pero que a nadie le parecía recordar bosque alguno, ni siquiera un maltrecho pino. Antes de salir bebía una infusión de té de menta para el mal aliento. Se iba a las cinco treinta de la tarde y caminaba con parsimonia, contando los pasos, y llevaba un bastón negro con un mango de plata en forma de cabeza de león y un libro que siempre era diferente en la mano contraria. Si era invierno, en vez del bastón llevaba un paraguas, y solo si la lluvia era demasiada, asistía a la reunión en su coche, un Ford negro con sillones de cuero al que Magdalena nunca tuvo la suerte de subir, por lo menos no cuando el vehículo iba en marcha, pero a veces, si querían hablar de muchachos con Ana y no podían salir de casa y no querían que nadie las oyese, se iban a la cochera y se encerraban en él. Tenía unos asientos que a Magda le parecían tan cómodos que siempre quiso que el señor Bulnes organizara un viaje hasta unas montañas lejanas y la invitara. Se imaginaba a sí misma sentada en ese Ford y el viento dándole de lleno en el rostro mientras veía un paisaje de pinos y montañas azules; pero ni al señor Bulnes se le ocurrían esos viajes ni invitaron a Magda a otros más cercanos que sí se le ocurrieron. Apenas si la invitaban a cenar alguna vez y nunca a tomar el té, porque esas reuniones eran solo para la familia, en opinión del propio señor Bulnes.

Fueron esas reuniones precisamente las que convencieron a Rosa de tomar la decisión de marcharse de casa, porque en ellas su padre mancillaba su paciencia con consejos que eran más regaños que otra cosa. Se quejaba de la forma de pintar de la hija, aseguraba que era un desperdicio emplear materiales para gastarlos en caricaturas, se quejaba también de que su hija no hacía más que ver revistas con esas fotografías de cuadros impresionistas en vez de aprender a observar sus libros sobre autores clásicos, sobre Da Vinci, sobre Rafael, sobre Tintoretto, sobre Canaletto, sobre Rembrandt, sobre esos artistas que el señor Bulnes consideraba esenciales y no sobre esa gente francesa que en su opinión no eran más que unos bohemios degenerados: Renoir o Van Gogh o Degas o el señor Manet.

Pero no solo de eso se quejaba el señor Bulnes, también lo hacía de la risa de Dianita, demasiado estridente; de los vestidos de Ana, justo sobre las rodillas y no una cuarta bajo ellas; de la música que sonaba en la radio, esos ritmos bulliciosos exportados de Norte América; de la mala educación pública; del clima; de la vulgaridad de las vendedoras del mercado; de la falta de conocimiento teológico de los sacerdotes; de la lluvia; del calor; del té. El señor Bulnes se quejaba de todo, y Rosa, su hija mayor, no lo soportaba más. Pese a ello, no decía nada, no abría la boca más que para tomar el té o para morder un pastelillo, igual que habían aprendido a hacerlo su madre o sus hermanas, porque ninguna de ellas tenía la capacidad intelectual de su padre, eso les había enseñado él desde siempre, y le debían guardar respeto y escucharlo, dijera lo que dijera.

Fue en mayo o junio de 1950 cuando Ana Bulnes le pidió a Magdalena que la acompañara a una carpintería en el barrio San Jacinto. Ahí las esperaba Rosa. Junto a Rosa se hallaba una pequeña balsa de madera de unos cuatro metros de largo, comba, y recién barnizada a juzgar por el olor que despedía. En el centro de la balsa se había construido algo parecido a una casa de muñecas, un techo partido en dos mitades que bajaban hacia los extremos de la balsa. En ella había también un par de remos. Estaba montada en una especie de trineo con cuatro ruedas, para su transporte. Magda se echó a reír en cuanto la vio, pero su risa no era otra cosa que puro nerviosismo. Para ella no era posible que una muchacha con una educación como la de Rosa Bulnes estuviese en medio de una situación así.

—Mejor la llevamos en la madrugada y no ahora —dijo Ana —, porque estás loca si piensas que no nos va a ver nadie y no se lo van a contar a mi padre.

—Mejor no la llevamos nunca —dijo Magda —. Es que no puedo creerlo.

—Pues mejor lo vas creyendo, porque me voy para Europa —aseguró Rosa.

—¿Por qué no te vas mejor en avión, o en tren, o en lo que sea menos en eso?

—Porque obviamente, tonta, no tengo el dinero para irme ni en avión ni en dirigible ni en nada que no sea esto, eso para empezar, y para seguir, porque es más emocionante hacerlo así que de otra manera; además, ya es tiempo de sacar las alas, volverse una gaviota e irse a la mierda.

—Volverse una gaviota —dijo Magdalena, con desdén.

—Esa bohemia te tiene afectada. Tiene razón tu padre.

—Qué bohemia ni qué ocho cuartos, esto no tiene nada que ver con la bohemia, esto tiene que ver con la vida.

Al día siguiente, en lugar de ir a misa de cinco de la mañana fueron a la carpintería improvisada como astillero y recogieron la balsa. La llevaron a través de las calles desoladas de esa hora. La dejaron bajo uno de los puentes que une el barrio de Candelaria con el centro. La cubrieron con suficientes ramas y se fueron. Durante unas semanas no se habló más del asunto, pero un buen día, Rosa le pidió a Magda que la llevara a casa de sus abuelos. Rosa quería hablar con el abuelo de Magdalena porque sabía que había nacido en algún sitio de España y quería que le hablara del país.

—Pero si mi abuelo no se acuerda de nada de eso, lo

único que sabe contar son historias de espantos —le dijo Magdalena, pero Rosa igualmente quiso ir a verlo.

En aquel tiempo, Magdalena visitaba bastante a sus abuelos, sobre todo en las tardes de invierno los fines de semana, cuando la lluvia ensombrecía la casa donde vivían y la volvía acogedora. Los ancianos pasaban el tiempo contándole viejas historias junto al fuego de una cocina de barro. Las mismas historias que le contaron a Ana y Rosa el día que Magdalena tuvo a bien llevarlas, porque del viejo continente no se habló nada, ya que, como bien había dicho Magda, el abuelo había venido a América siendo un niño y ni siquiera revistas había visto de su patria.

Más tarde, cuando estaban en el jardín de la casa de los Bulnes, mientras don Luis era una silueta que se observaba a través de la ventana cerrada de su estudio, Rosa les comunicó que ya tenía todo listo y que con la primera crecida del río se largaba.

—Me voy —les dijo, en susurros—. Ya está decidido que a la primera crecida del río yo me voy.

Ana no dijo nada que pudiese considerarse un intento de persuadir a la hermana. Magdalena sabía bien que para Ana la decisión de Rosa era la correcta, y algo más, era la decisión que ella misma hubiese querido tomar pero que no se atrevía porque no tenía las agallas suficientes para ir a jugarse la vida al mundo, ni siquiera en compañía de su hermana mayor, simplemente porque su hermana mayor no tenía la casa cómoda que tenía su padre ni la profesión de su padre ni el conocimiento de su padre. Ana, que entonces era apenas una íngrima muchacha recién graduada de maestra por la Normal España y que tenía que realizar artilugios mágicos para que los muchachos se enamoraran de ella, no tenía el corazón amplio de su hermana Rosa, y aunque ardía en deseos de despegar, de decirle a su hermana que se iba con ella, conservó sus pies clavados a la tierra como dos estacas profundas y lo único que pudo hacer fue desear y soñar con que la hermana exitosa regresara un día para llevársela lejos de una casa que consideraba demasiado absurda y ceremoniosa para ser un hogar, a pesar de cierta providencia económica que allí existía. Por ello, ni ese día dijo nada ni dijo nada unos días más tarde, cuando su hermana Rosa Bulnes se despertó a las cuatro de la madrugada y se dio cuenta de que seguía lloviendo y preparó sus cosas, sus caballetes, la maleta con sus vestidos, su cofre con unos cuantos pesos ahorrados, se puso un vestido color verde oscuro bastante abajo de las rodillas, como le hubiese gustado a don Luis, se recogió el cabello en un moño, se pintó levemente los labios, se puso un suéter de lana tejido por ella misma en el invierno pasado guiada por la dulce mirada de su madre, unos zapatos negros de tacón bajo, antes de los zapatos unas medias, dijo una oración hincada al lado de su cama, recogió sus cosas y salió rumbo al que había elegido como su destino. Era octubre y llovía. Octubre de 1950, casi un año más tarde de cuando habló por primera vez de esa idea suya de remontar un río.

67

6

Cuando Magdalena se despertó era más de media noche. De inmediato percibió el olor frío de la lluvia y, más allá, un sutil aroma de jazmines mojados. Entonces, por alguna razón que carece de toda lógica, sintió que ese día, al amanecer, iba a ocurrir un hecho asombroso. El resto de la noche no pudo dormir. Recordó un sueño que había tenido unos años atrás donde había visto una multitud a la orilla de un río. Como todos sus escasos sueños, no lo había olvidado, pues estaba convencida de que los suyos eran sueños premonitorios. No pudo dormir pensando en Rosa Bulnes. Cuando dieron las cinco de la mañana se levantó, se vistió y caminó hasta la casa de sus amigas. Había llovido toda la noche.

Encontró a Ana y Dianita en la misma calle de su casa.

—Magdalena, por Dios —exclamó Ana cuando se encontraron.

—¿Y Rosa? —preguntó Magda.

—Se fue hace rato, yo me di cuenta cuando ya se iba.

—¿No se despidió?

—Quizá creyó que si llegaba a despedirse no la íbamos a dejar que se fuera.

Las tres mujeres caminaron lo más rápido que podían rumbo al sitio donde sabían que estaba la balsa.

—No se ha ido todavía —dijo Magda.

—Ojalá que no.

—Yo siento que no —dijo Magda, sin saber por qué lo decía.

No llovía como antes, pero caía una leve llovizna que a ninguna parecía importarle. Ana y Magdalena llevaban paraguas pero no desplegados. Al llegar al río encontraron a Rosa junto a la balsa. La balsa estaba atada a unas piedras en la orilla. Rosa miraba hacia la oscuridad del horizonte. Magdalena creyó que había esperanza, que quizá estaba indecisa, pero al sentir los pasos y darse la vuelta, Rosa las miró con una sonrisa en los labios. Fue entonces cuando Magdalena supo que aquello iba en serio.

Rosa no dudaba. Se había detenido a pensar en su madre, en lo que sufriría, o en la vergüenza de su padre, que tendría que darle explicaciones a sus parientes o sus amigos. También pensaba en un muchacho llamado Gilberto, a quien apenas había conocido por unos días pero que había sido su amor platónico desde los quince años y al cual se lamentaba de no haberle robado nunca un beso o al menos haber cruzado un saludo con él. Pero sobre todo pensaba en sus hermanas, le mataba la sensación espantosa de dejarlas solas.

—¡Rosa! —gritó Ana, y Diana también gritó, un instante después.

A Rosa le dio un brinco el corazón y los ojos se le llenaron de lágrimas: habían llegado a despedirla. A despedirla, no a detenerla. Eso lo sabía bien. Las tres mujeres bajaron, primero Diana, luego Ana, por último Magdalena, y las tres, en ese orden, fueron abrazando a Rosita Bulnes.

—Dios mío, Rosa —dijo Ana—, cómo te ibas a ir sin despedirte, cómo has sido capaz.

Rosa no dijo nada, se encogió de hombros solamente, volvió a abrazar a las hermanas y a la amiga, las abrazó tan fuerte como sus brazos delicados le permitieron.

—¿Ya me voy, verdad? —dijo Rosa, pero no era una pregunta lo que decía aunque lo fuera, por lo menos no una que tuviera una respuesta.

—Sí, ya te vas —respondió Ana.

—Cuiden a mi madre...

—Eso no tienes que decirlo, tú sabes que la vamos a cuidar.

—Como siempre —dijo Diana.

—Y tú, Magda, cuídalas a ellas, que ya ves cómo son.

—Unas bichitas chorreadas y tontas —dijo Magda. Sonreía. Disimulaba la tristeza. Suponía que era un momento para ser fuerte.

—Sí, eso, unas bichas chorreadas.

—Groseras hasta el último momento —protestó Diana.

—Yo las cuido todo lo que quieras, tú ya lo sabes, así que vete tranquila. Y vamos a pedir todos los días por ti. Y no dudo de que te va a ir bien.

—Gracias, Magdalena.

—Gracias por nada —dijo Magda y se quedó en silencio y con ella se quedaron en silencio las dos hermanas, observando mientras Rosa se separaba, tomaba sus cosas del suelo, las acomodaba en la balsa y se subía a ella y se sentaba en la parte de estribor.

—Hoy no va a amanecer —dijo Rosa, pero las tres mujeres no le respondieron. —Siempre me gustaron los días lluviosos, esa cosa rara que tienen que hace que una se sienta bien.

Después de un rato se abrazaron por última vez y Rosa desamarró el lazo y la balsa empezó a moverse llevada por la corriente del río. Entonces eran casi las seis de la mañana. El tiempo había pasado como un relámpago mientras ellas hablaron de sus cosas, de los muchachos, de las idas al cine y la iglesia, y se prometieron verse dentro de unos pocos años, entonces serían unas señoras casadas y se presentarían a los hijos, y también prometieron visitarse todas las tardes cuando fueran unas viejas olvidadas por todos, y se juraron, mirando al cielo, que no serían ni unas amargadas ni unas beatas. Era principios de octubre de 1950. Rosa Bulnes se fue alejando, el río se la llevó en su lomo como si fuese un pez gigantesco y gris. A la vera, las muchachas lloraban. Cuando Rosa entró en la niebla se volvió una silueta que decía adiós con la mano levantada, luego una mancha oscura y pronto menos que eso. Después del primer recodo, desapareció por completo.

EL MILAGRO

1

Don Ignacio esperaba un milagro. Como Simeón, decía, que había visto al Mesías antes de morir, él esperaba presenciar un milagro antes de marcharse de esta vida y este mundo. No quería nada especial, no esperaba, digamos, un ciego que recobrara la vista o una multiplicación de panes y peces, quería algo menos grande y más común, como una estatua llorando sangre o una aparición de la Virgen. Estaba convencido de que vería su milagro. Y este convencimiento venía, según él, de un sueño de juventud, donde alguien le había dicho que antes de morir vería una prueba de la existencia del Señor.

—Yo sé —dijo alguna vez —que la gente no cree en esas cosas, pero hay gente que ni siquiera cree en Dios. Yo me encontré en un sueño a un señor vestido de blanco, muy anciano, y me dijo lo que me iba a pasar. Yo creo que él vino porque yo era ateo y tenía que convencerme de algo.

— ¿Y quién te crees tú para que Dios te ande mandando señales? —solía decirle su mujer.

Pero el señor don Ignacio no hacía caso a nadie. Estaba convencido de lo que había visto en su sueño. Por ello, cuando escuchó la historia del niño prodigioso, no perdió oportunidad de ir a verlo. El señor don Ignacio contaba con sesenta y nueve años de edad y sufría de un asma crónica que según los médicos del hospital Rosales lo llevaría pronto a la tumba. Aunque no pensaba que el pequeño podría sanarlo, hizo todo lo posible por ir a ver al muchachito de nueve años que haría un prodigio del cual ya se tenía noticia en las páginas del Nuevo Testamento y que era anunciado entonces casi como un acto circense: caminaría sobre las aguas.

—Es que morirme no me da miedo por morirme –dijo don Ignacio en una ocasión —, sino porque no vaya a ser que del otro lado no haya nada, y eso sí que sería terrible.

—Mira —le respondió doña Marcela, su mujer —para empezar, tener fe es creer en lo que no se ve, eso dice el libro de comunión y la Biblia y eso dicen los curas, y además, no sé qué vas a hacer si no ves tu mentado milagro porque, morirse, que Dios mediante espero que no sea pronto, eso sí que no vas a poder evitarlo y eso sí que va a ser terrible. Así que mejor quítate esa idea de la cabeza, porque yo no quiero verte un día agonizando muerto de miedo porque no has visto nada.

El señor don Ignacio hacía oídos sordos. Estaba convencido de que su milagro llegaría. Su mujer tampoco lo presionaba mucho, en opinión de ella su marido era uno de esos soñadores empedernidos sin compostura. Si bastaba con saber que, cuando joven, había escrito una carta invitando a personas de buena voluntad a visitarlo en su casa de San Salvador y la había echado al mar en una botella de ron. Quería nueva compañía. Y esa botella lanzada entonces lo llevó a pasar casi tres años de su vida sin salir de casa los domingos: sabía que ese día llegaba el tren de pasajeros que venía del puerto de Acajutla y esperaba invitados.

—Este bruto —decía doña Marcela —si no me hubiera conocido, llevaría treinta años sin salir los domingos esperando a que vengan a verlo.

2

El niño prodigio se llamaba Andrés Ascencio. Había nacido a la intemperie, entre relámpagos que rayaban el cielo en medio de una lluvia torrencial de un día del mes de junio del año cuarenta y uno. Su madre aseguraba que ella no había conocido varón, —pese a las protestas a veces airadas de un tipo conocido solo bajo el apelativo de Dandi, quien se atribuía la paternidad de la criatura —y salvo una madre alcahueta y una tía enajenada, nadie más le había creído el alegre cuento, por lo menos al principio. El parto la había pillado en plena calle, cuando venía de ver a unas amigas en el barrio de la Candelaria. Ella vivía en Santa Anita, a unas calles, en la casa de sus padres, que eran unos negociantes de telas bastante beatos. El niño había venido sin contratiempo alguno ni dolor exagerado, y no había sufrido ni siquiera un indicio de enfermedad pese a que permaneció entre las piernas de su madre desmayada, bajo la lluvia, por casi una hora, hasta que el aguacero amainó y fueron encontrados por la madre de la parturienta, que había salido a buscarla, suéteres de lana y sombrilla en mano, al ver que no regresaba y ya se había hecho de noche. Tal fortaleza del bebé fue tomada, poco después, como algo que, de poco común, se convirtió en un hecho sobrenatural. Pero la historia de los milagros comenzó tres años más tarde. Al parecer, el abuelo del niño y padre de la supuesta virgen estaba sufriendo un demoledor dolor de estómago provocado por una gastritis, y se contaba entonces que bastó con que el niño le tocara el estómago al abuelo para que el dolor desapareciera por completo. Cuando el dolor regresó varias semanas más tarde, el abuelo pidió que le llevaran a Andrés, que sus manitas entonces regordetas se posaran sobre su estómago y, más tarde, cuando la molestia desapareció, que se rezara un rosario en favor del niño milagroso del abuelo. La voz se corrió por el barrio. Muy pronto los dolores de estómago del barrio Santa Anita eran curados por las manos milagrosas de un niño, el nieto de los señores Ascencio, Andresito, que apenas hilvanaba dos palabras pero que era milagroso porque podía curar el dolor.

La más beneficiada con todo esto fue la madre, que, aunque no cobraba ni un centavo por las curaciones que llevaba a cabo su hijo, adquirió el preciado bien de la credibilidad, y hubo muy pocos que se atrevieran a contradecirla en eso de que jamás había conocido varón. Incluso se cuenta que alguna vez el Dandi había sido apaleado por un grupo de señoras beatas cuando les dijo que Andrés era su hijo.

—Esa Ascencio, Beatriz Ascencio, ésa fue mujer mía —dijo el Dandi—, allá nos íbamos a meter al hotelito de Candelaria, por eso digo que ese cipote es mi hijo, ese Andresito.

A lo que las señoras, indignadas, reaccionaron con una serie de cachetadas que hizo que el ofendido les diera un baño de palabras soeces llamándolas "putas de barrio" entre otras lindezas, pero que lo llevó, más tarde, a no volver a contar el cuento ese de que Andrés Ascencio era hijo suyo, salvo con sus amigos más íntimos de cantina.

3

Cuando el niño tenía nueve años recién cumplidos, la madre anunció que llevaría a cabo el mayor de los prodigios. Lo hizo en el barrio como si se tratara de un espectáculo circense: el niño caminaría sobre las aguas. La noticia fue acogida por muchos con regocijo, y por otros, los menos, con indignación, pues pensaban que era un abuso y que con los hijos no se debía jugar de esa forma porque Dios castigaba. La voz se corrió en toda la capital y fue como un viento frío y extraño que pasó por el Campo Marte el domingo por la tarde, donde casi todo el mundo se enteró. La gente cuchicheó como nunca: que dónde se llevaría a cabo el evento, que cuál era el día escogido, que si se verían señales en el cielo, que si habría una multiplicación de panes y peces como sabían que había sucedido en los tiempos de Jesús, que si el niño estaba poseído o que si la madre lo estaba. A todo esto, nadie podía ver al niño prodigio Andrés Ascencio. Su madre no lo permitía. Si preguntaban por él respondía que el niño pasaría un período de ayuno y oración y que nadie debía molestarlo. Al contrario de lo que decía la madre, el niño estaba encerrado en casa de sus abuelos haciendo sus cosas de niño, jugando con los juguetes de madera que el abuelo le había comprado en el mercado o escuchando las historias de espantos que le contaba su abuela, sentados en el patio a la sombra de un árbol de mango gigantesco. Al niño prodigio le encantaban las historias de espantos, y prefería que su abuela se las contara porque la señora se sabía hacer la interesante, adquiría un aspecto un tanto lúgubre mientras narraba esos hechos oscuros y asombrosos de sacerdotes descabezados o mujeres que se convertían en lobo cuando había luna llena o de diosas que salían del mar para llevarse a los pescadores hipnotizados. Le hacía creer al nieto que ella lo había visto y oído todo. Le decía que, cuando niña, había escuchado los aullidos de las mujeres lobo y visto la figura del sacerdote sin cabeza, oscura, alta, cubierta por una estola sombría que adquiría un brillo metálico que sobresalía en la oscuridad de la noche. También había visto las diosas blancas, lechosas, de cabellos como serpientes de oro que salían del mar y secuestraban a los pescadores. El niño estaba encantado. Y los abuelos estaban encantados con él. Por ello, cuando semanas atrás la madre se levantó con el cuento de que había tenido un sueño revelador, un sueño en el que se le indicaba una misión que debía realizar, no lo aceptaron tan fácilmente, dudaron un poco y tuvieron su reparo.

—Es que eso debe de ser así —dijo la madre —, tiene que ir y caminar sobre las aguas.

—¿Como Cristo? —preguntó el abuelo.

—Igualito, así lo vi en un sueño. Tiene que hacerlo para probar su santidad.

—Mira, hija, no te discuto que el niño es especial, pero hasta tanto no sé.

—Yo tampoco sé —dijo la abuela —. Tú sabes que te he apoyado en todo, que desde el principio te creí porque a mí no me cuesta creer en las cosas de la vida, tú sabes que yo soy una mujer de fe y…

—Yo también soy un hombre de fe pero eso está… está difícil.

—¿Difícil para Dios?

—No interpretes mal a tu padre, él dice que es difícil de creer y tiene razón.

—Es que mira, hija, esos son actos *crísticos*, y yo digo que no se puede jugar con eso.

—¿Y quién está jugando? Le aseguro que hasta el día y la hora me dijeron en el sueño...

Después de mucha discusión, los abuelos aceptaron lo que les decía su hija porque no les quedó otra cosa que hacer. Dudaban. Las curaciones habían sido reales, esas no se las había inventado nadie, pero la idea de imitar a Cristo y caminar sobre las aguas les pareció una exageración. Cuando se convencieron de que la hija no les haría caso, le pidieron que dejara al niño en paz hasta la fecha que ella decía, que lo dejara jugar a los coches y pasar tiempo con ellos, lo que significaba, en todo caso, que no dejara que nadie llegara a verlo en esos días, lo que la madre aceptó de buena gana.

Para la veneración, según la madre pensaba, ya quedaría suficiente tiempo.

4

Don Ignacio no acostumbraba a beber nada caliente en la mañana. Prefería un buen vaso de jugo de naranja con huevo, endulzado con miel de abeja. Eso lo hacía sentirse bien, eso y un baño con agua helada, sacada a guacaladas de la pila, en pleno patio y poco después de las cinco de la madrugada, bajo las últimas estrellas. El baño lo hacía previo al desayuno y para cuando terminaba y el olor a jabón emanaba de él como un vapor, dejando su rastro de aroma por la habitación donde se vestía primero y luego en el comedor, su mujer ya le estaba esperando con una jarra de zumo y un plátano asado en las brasas. Eso era así todos los días. Sin embargo, la mañana que don Ignacio esperaba ver su tan esperado milagro, su mujer lo esperó con una taza humeante de chocolate caliente.

—Pero me vas a fastidiar el día, mujer —dicen que protestó él.

—¿Y yo por qué?

—Cómo que por qué... ¿Y mi zumo? Mira que a media mañana me voy a sentir débil y hasta me puedo desmayar.

—Qué hombre más insoportable —se quejó doña Marcela.

—Mira, tú sabes a lo que voy y sabes que necesito estar entero.

—Pero, ¿es que no ves el frío que hace? Si ha estado lloviendo toda la noche, hombre, por eso te hice mejor el chocolatito caliente, no seas desagradecido, mira que Dios se fija en esas cosas.

Cuando el señor don Ignacio salió de su casa eran poco más de las seis y media de la mañana. Vestía con su traje de ir a la iglesia: la chaqueta azul negro de casimir; el pantalón del mismo tono y la misma tela, raído a causa de los años de uso; la camisa blanca que su mujer le había obsequiado en la pasada Navidad y los zapatos de cuero negro recién lustrados, relucientes. Aunque había llovido toda la noche y el cielo estaba encapotado, no se preocupó por llevar un paraguas. Si el milagro se daba, estaba seguro de que ninguna lluvia echaría a perder el momento. Si nada sucedía, no le importaría mojarse. Estaba cansado de esperar. Su mujer le había advertido de que podía pescar una pulmonía si no llevaba con qué cubrirse. Él no tuvo ganas de escucharla.

Don Ignacio llegó al sitio donde estaba anunciado el acontecimiento, bajo uno de los puentes del barrio Candelaria, y se dio cuenta de que el río estaba crecido. Lo que hacía unos días era un riachuelo sucio se había convertido en un río diáfano, incluso navegable, como descubrió cuando observó una balsa que se perdía en ese instante a través de un recodo. Sin duda, descubrir el río en esas condiciones no hizo más que acrecentar el ánimo y la fe al nervioso don Ignacio, que se había pasado la noche en vela, sentado en el suelo junto a la cama donde dormía con su mujer, haciendo oración y leyendo la Biblia hasta que su reloj dio las cinco de la mañana y se levantó para ir a asearse.

—Está lindo el río —se dijo a sí mismo, con una voz emocionada.

El acontecimiento estaba anunciado para las ocho de la mañana, por ello no había gente todavía, salvo tres señoritas vestidas de negro, muy jóvenes, paradas en un borde de tierra. Estaban asidas de la mano, y una de ellas, la más joven a todas luces, se agarraba del tronco de un árbol. El señor don Ignacio bajó con precaución y se dirigió hacia donde estaban las muchachas. Cuando estuvo a unos pasos se dio cuenta, con enorme sorpresa, de que las señoritas estaban llorando. No emitían sollozo alguno pero tenían las mejillas enrojecidas y los ojos empapados en un llanto que hacía surcos en relieve a través de los pómulos.

—Estas sí que son más beatas que yo, —pensó don Ignacio, que creyó que lloraban de emoción ante el inminente acontecimiento que les esperaba.

Don Ignacio no conocía al niño prodigio. Cuando le hablaron de él quiso ir a verlo de inmediato, y así lo hizo, pero, cuando llegó a verlo, el niño andaba de gira con su madre en el interior del país. Una semana más tarde, cuando volvió a ir a la casa del niño, le dijeron que no estaba, que andaba curando a una tía enferma. La tercera vez que fue a verlo, un mes más tarde, el niño le hacía una visita al Cristo de Esquipulas, y para su cuarta vez, casi tres meses después, nadie salió a abrirle la puerta de la casa. Seis meses más tarde, cuando fue a verlo por quinta vez, el niño sí que estaba en casa pero era el período en que sus abuelos le privaron de toda visita, previo a la caminata sobre las aguas. Pero don Ignacio no se decepcionó, para él todas esas ocasiones fallidas no eran si no la voluntad de Dios que lo estaba probando para ver qué perseverante era. Y si alguien era perseverante, ése era el señor don Ignacio, y probablemente Dios lo sabía tanto como el párroco de la Iglesia del Calvario, quien lo vio llegar durante más de diez años a misa de cinco de la mañana, andar de rodillas desde la entrada del templo hasta su banca en primera fila, unos treinta o cuarenta metros, y luego, al terminar el oficio, encender una vela que dejaba bajo el Cristo crucificado del altar o bajo cualquiera de las estatuas de los santos de madera, todo ello como súplica para que se le concediera, a él y a su mujer, la dicha de tener un hijo. Y aunque los hijos no llegaron, la fe se mantuvo intacta, y a través de los años nada cambió, salvo el horario de las misas a las que iba y también la frecuencia, porque posteriormente asistió por la tarde y solo unas tres veces por semana, además de los domingos.

—Buenos días les dé Dios —dijo don Ignacio.

Las mujeres, que hasta entonces, sumidas en su pena, no se habían percatado de la presencia de aquel hombre, dieron un paso hacia atrás, sorprendidas, pero no temerosas: el hombre no parecía un maleante ni un enajenado y ni mucho menos un indigente, al contrario, tenía un aspecto muy recatado, un tanto elegante incluso, y su voz tenía la misma modulación que la de los sacerdotes en el púlpito.

—Buenos días les dé Dios, señoritas —volvió a decir.

—Buenos días —contestó una de las muchachas, con voz quebrada.

—Es temprano todavía, pero es mejor madrugar para escoger un lugar bueno donde se vea todo —dijo don Ignacio.

—Esto va a quedar en los libros, imagínense qué honor vamos a tener... Y el río, que nunca lo había visto tan lleno de agua, ni sucio se ve ya, solo eso es ya milagroso, no digamos cuando se dé el suceso y el niño haga su caminada sobre el agua.

—¿Cómo es eso? —dijo la menor de las tres muchachas.

—¿Es que no saben lo del niño milagroso? ¿No me digan que no saben que el niño prodigio de Santa Anita va a caminar sobre el agua, igual que lo hizo Jesucristo? Hoy vamos a ser casi apóstoles.

—Mire, señor, aquí no estamos para cuentos —dijo Magdalena. —¿Es que no se da cuenta de que no estamos para tonterías? Además, lo que es hoy y en este río, nadie, pero nadie, va a caminar sobre las aguas, así que váyase para su casa a dormir con su mujer, si es que tiene mujer y si es que esa mujer lo aguanta.

Don Ignacio, indignado, dolido en lo más profundo de su orgullo, dio media vuelta y se alejó sin decir ni una sola palabra más. Mientras tanto, arriba, sobre el puente, la gente comenzaba a llegar. Eran las siete de la mañana y el cielo estaba gris. Un día frío, extraño. Ningún pájaro había cantado aún esa mañana.

5

—Mira, Diana —dijo Ana Bulnes —ese niño milagroso ha de ser el hijo de Beatriz Ascencio.

—Ojalá que no, porque sería el colmo. Aunque no me extrañaría, por todo lo que dicen que anda haciendo Beatriz con su niño. Pero allá ella, que se entienda con Dios.

—Mi madre —dijo Magda —está convencida. Dice que es milagroso. Hasta quería llevar a uno de mis hermanos a que lo curara del sarampión, pero mi padre no la dejó y por eso no fue. Pero ella dice que le devolvió la vista a no sé quién y el habla a no sé quién más y cosas así.

—Pobre niño —dijo Ana —, Beatriz se volvió loca. Yo no creo en eso de los milagros. Beatriz siempre andaba con pajaritos en la cabeza. Siempre.

—Qué va a andar haciendo milagros, ya es más milagrosa la Enlutada que ese niño.

—No, la Enlutada no es milagrosa, esa es bruja, que no es lo mismo.

—Total —dijo Diana —, para lo que nos importa.

Alguna vez, Rosa Bulnes fue amiga de Beatriz Ascencio. Se habían conocido mirando al río, una noche, apoyadas en una baranda de uno de los puentes. Ambas tenían entonces doce años y ambas estaban llorando. Rosa había tenido una discusión con su padre, o, más bien, había escuchado un largo monólogo acerca de su haraganería y de su ignorancia. La chica se había marchado de casa sin cenar. De su cuarto, donde estaba castigada después del regaño, había ido a la cocina y salido luego por una puerta lateral. Beatriz, en cambio, lloraba porque había intentado besar a un muchacho compañero de la escuela pero sin éxito. El muchacho, tres años mayor que ella, la había empujado para quitársela de encima ante la mirada atónita de los otros jóvenes que estaban con él. Esa noche la luna se hundía en el río y se alargaba como la llama de una vela. En el puente, las lloronas adolescentes conversaban sobre lo horrible que era la vida. Desde entonces se hicieron amigas, pero no demasiado porque Rosa no podía seguirle los pasos con los hombres a Beatriz y Beatriz no hacía más que echárselo en cara. Solía reclamarle que era una mojigata. Cuando tenían diecisiete años fue cuando comenzó a hostigarla para que perdiera la virginidad. También la molestaba profetizándole que como artista no iba a llegar a nada porque no era capaz de vivir la vida que quería y que tampoco llegaría a nada como mujer si no podía saber qué les gustaba a los hombres en la cama. Rosa, ingenua, se preguntaba de dónde sacaba todas esas cosas Beatriz Ascencio, dónde las había leído o cómo había llegado a esas conclusiones.

Cuando Beatriz quedó embarazada se vieron cada vez menos, principalmente porque el señor Bulnes le prohibió terminantemente a su hija reunirse con ella. Para el día en que Rosa inició su viaje, llevaba ya mucho tiempo sin encontrarse con Beatriz Ascencio. De hecho, lo único que sabía de ella era lo que había escuchado decir a la gente: que su niño, Andrés, le había salido milagroso. Aunque Rosa no podía creer semejantes historias, las escuchó con genuino interés y hasta se dijo muchas veces que, el día menos pensado, iría a ver a su antigua amiga y le llevaría un presente al niño. Alguna vez, ante sus hermanas, llegó a afirmar que estaba pensando ir a que el niño le bendijera un escapulario. Pero nada de eso hizo.

—Bueno —dijo Magdalena —ya se llenó de gente, así que mejor nos quedamos y vemos qué pasa.

—Pobrecita la gente —dijo Diana —, siempre anda buscando en qué creer. Por lo menos mi padre, con todo lo que es él, tiene razón en eso de no andar creyendo en tonteras.

—Pues nosotras sí que necesitamos un milagro de ese niño —dijo Ana —porque cuando lleguemos a la casa y le diga a mis padres que Rosa se fue no me imagino la que se va a armar.

—Eso no es culpa nuestra —dijo Diana.

—Eso no importa. Da igual de quién sea la culpa, la gritadera que se va a armar la vamos a aguantar nosotras. Pobrecita mi madre.

La gente fue bajando poco a poco. Ni Magda ni las Bulnes se movieron de donde estaban. Por inercia, curiosidad, morbo o una mezcla de todo eso, permanecieron sentadas en el borde de tierra a la orilla del río. Unos minutos antes de las ocho, mientras Anita Bulnes hacía el comentario de que no había oído cantar a ningún pájaro ese día, oyeron una voz que entonaba una canción religiosa: "El enviado del Señor ya está aquí, el enviado del Señor, su profeta", y que la voz salía de una mujer vestida con una bata blanca en cuyo pecho se observaban unas cruces tejidas con hilos dorados. Tras ella venían, vestidas de la misma forma, otras doce mujeres que cantaban haciéndole coro: "La segunda venida no es el fin, es la costa donde otro cielo empieza". Al principio, pocos se atrevieron a musitar palabra alguna, pero con el tiempo, todos los que estaban allí se unieron al canto: "El enviado del Señor ya está aquí, el enviado del Señor ya está aquí, el enviado del Señor, su profeta". Todos menos Magda y las Bulnes. Y en medio de ese coro y de la multitud, apareció la figura de un niño envuelto en una sábana blanca a la manera de un sudario antiguo, y tras él, su madre, con el cabello adornado de rosas amarillas, descalza, vestida con un atuendo blanco y con las manos luciendo diez anillos, uno por cada dedo, todos de un oro que relucía como encendido, como acabado de labrar en fuego. La madre levantaba las manos, animaba a la gente a cantar y ella misma cantaba. El niño se colocó a la orilla del río, que estaba diáfano, enorme como nunca debido a las lluvias. Se descalzó y mojó las puntas de sus pies en el agua, que debía de estar fría. Entonces avanzó. Caminó con gran lentitud, como lo hacen los equilibristas de la cuerda floja. Puso un pie. Otro pie. Dio un paso. Dos. El agua lo sostenía. Magdalena sintió que se le ponía la carne de gallina. Se dio cuenta de que eso era lo que había soñado: una multitud vociferando un milagro de Dios. Se puso la mano en el pecho y sintió el latido fortísimo de su corazón. Pero entonces, tras unos cuantos pasos hacia la inmortalidad, el niño repentinamente se hundió en las aguas. Las personas cambiaron el canto, primero por un grito hacia dentro y luego por una masa de murmullos ininteligibles. Enseguida, uno, dos, tres hombres se sumergieron en busca del pequeño. Un cuarto. El abuelo mismo del niño, el señor Ascencio, se sumergió en su búsqueda. La madre se tiró al agua también y un momento después la siguió la abuela del chiquillo. De la multitud salió un hombre al que apodaban el Dandi, y después de unos momentos de duda ante el creciente caudal del río, señal inequívoca de que en otro trecho del mismo estaba lloviendo, se sumergió y corrió la misma suerte de los demás. En total fueron doce personas las que se tiraron al agua en busca del niño Andrés Ascencio. Ninguna de ellas pudo salir a la superficie. La corriente los amarró para siempre y se los llevó quién sabe a qué sitios. La gente, en la ribera, miraba horrorizada: habían llegado en busca de un milagro y habían hallado una catástrofe. Algunos se arrodillaron a rezar, otros simplemente lloraron. Casi nadie se marchó. Todos estaban paralizados ante el nefasto espectáculo. Paralizados, anonadados, vueltos idiotas repentinos. Por ello nadie se dio cuenta cuando dejó de llover y, salvo Anita Bulnes, nadie escuchó que un pájaro diminuto cantaba posado sobre una rama a poca altura de las aguas, justo en la dirección del río donde, un poco antes, se había marchado su hermana en una balsa, y

el mismo por donde, en ese instante, aparecía, tras el recodo, otra balsa, esta vez con una tripulación de tres niños.
Uno de ellos, el más alto, flaco, sin camisa, aterido de frío,
sostenía una bandera blanca amarrada a un palo delgado
metido a través del ojo de una vieja botella de ron.

6

Cuando el niño prodigio Andrés Ascencio se hundió en medio de su caminata en el río, don Ignacio no tuvo ganas ni de llorar ni de gritar ni de irse a su casa. Ni siquiera le quedaron ganas de vivir y, si no bajó para tirarse al río en busca del niño, fue por amor a su mujer. Por no dejarla sola. Por eso se quedó acurrucado sobre una piedra y poco le importó lo que todos estaban viendo sin decir palabra: una balsa con unos niños en ella. Él se quedó quieto, con la mente en blanco, negándose a hablar con Dios para pedirle una explicación y sintiéndose totalmente falto de fe. Cerró los ojos y deseó con todo el corazón que alguien, su mujer acaso, estuviera ahí para abrazarlo fuerte. Una lágrima le corrió pómulo abajo. Y justo cuando se decidió a decir, casi sin mover los labios, casi sin dejar de salir un soplido de voz, "¿Por qué me abandonaste, por qué..?", escuchó que alguien, allá lejos, decía su nombre:

—¿Está aquí el señor Ignacio Sánchez? —gritó Magdalena. Lo hizo una, dos veces, una tercera, y entonces vio que el hombre que temprano las había ido a saludar a ella y a las Bulnes, ese que les preguntó sobre el milagro y que ella había mandado a su casa a dormir con su mujer, se incorporó y levantó el brazo muy lentamente.

—¿Usted es el señor Ignacio Sánchez? —volvió a preguntar.

—Sí... pues sí, yo soy —gritó don Ignacio.

—Es que estos niños preguntan por usted, vienen buscándolo a usted.

Entonces, por alguna razón incomprensible, don Ignacio no tuvo necesidad de bajar hasta la balsa ni tampoco tuvo necesidad de ver la nota que él mismo había enviado casi cuarenta años antes y que entonces recibía una respuesta, no tuvo necesidad de hacer nada, tan solo se echó a reír, a reír como nunca lo había hecho, y pensó, en medio de la total enajenación que produce la felicidad, que ya podía morirse en paz, que ya había visto su milagro, pero que lo menos que quería hacer en ese instante era precisamente eso, morirse.

7

Por alguna razón tan desconocida como incomprensible, Magdalena no ha podido soñar mucho en su vida. Ha tenido solo cuatro sueños en su vida y asegura que le falta uno más que será el definitivo. Magda tuvo en su juventud tres sueños y todos fueron fundamentales en su vida: el primero fue el de un milagro, y le enseñó que todo era posible; el segundo fue el de una voz revelándole un secreto nefasto, hablándole desde atrás a su oído izquierdo y una mano cerrándole la boca, y le mostró que todo era terrible; el tercero fue el de un encuentro maravilloso en una estación de tren. En ese orden los soñó, durante tres días seguidos un Viernes Santo, un Sábado de Gloria y un Domingo de Resurrección del año 1947, y en ese orden sucedieron, dos el mismo año, 1950, y otro meses más tarde, en 1951.

Todo era posible entonces, me dice Magdalena, y luego se levanta de la silla donde ha permanecido sentada buena parte de la tarde, camina despacio, como lo hace siempre, hasta la puerta de la habitación. Afuera es ya el atardecer. Un día templado de octubre. Ambos estamos enflaqueciendo. Ella está más cansada, aunque tose menos que cuando hace calor y eso es muy bueno para mí porque ha dejado de pedirme que cocine esa mezcla de pimienta y jengibre que se toma casi como agua de tiempo. Está más animosa para hablar y se interrumpe menos.

—¿Qué pasó con los niños después? —le pregunto.

—No sé.

—¿No supo nada de ellos?

—Supe lo que supo todo el mundo, que crecieron, que se casaron, que uno de ellos fue ingeniero civil, esas cosas, pero esas cosas no importan, y no importan porque uno no sabe qué hizo el ciego cuando recobró la vista o el tullido cuando caminó otra vez ni qué hizo Lázaro cuando recuperó la vida, yo no sé qué hicieron, si fueron hombres buenos o malos, y no me importa porque lo que importa es el milagro que fueron, su momento de gracia. Qué me importa a mí lo que hicieron después los niños de Valparaíso, a lo mejor se hicieron maleantes, pero eso es lo de menos.

—No creo que se hayan hecho maleantes.

—Tú no crees nada, estás ahí oyendo las cosas que digo igual que oirías llover o igual que oirías el viento, sin entender nada, pero eso es porque te cuesta creer en las cosas, eres como toda la gente de estos tiempos, pero tu pecado es que tú has vivido entre unas gentes de las que deberías haber aprendido a creer, porque te crió doña Prudencia, estuviste con ella más que conmigo, y ella sabía cosas, sabía lo del viento y te lo debe de haber dicho, pero tú eres un incrédulo y por eso te va mal, por eso te cuento un milagro y me preguntas qué pasó después, como si eso importara. Eso es lo menos importante. Lo que importa aquí es que en ese tiempo que te digo todo era posible y ahora ya no es posible nada porque todo se borró.

Todo era posible, vuelve a decirme y sale de la habitación sin mirarme, sin decir una sola palabra más, y me deja, no en esta estancia cada vez más sombría sino a la orilla de un río de aguas diáfanas, rodeado de gente, viendo un viejo emocionado abrazando a tres niños escuálidos, mientras unas mujeres cantan himnos de gracias al Señor y una multitud grita, llena de fe, que acaba de suceder un milagro, algo maravilloso.

SUEÑOS

1

Bambúes. Eso era lo que había en la entrada y en el patio de la casa de la abuela materna de Magdalena. Bambúes amarillos, esbeltos, cuyas ramas raquíticas de hojas verdes siseaban dulcemente cuando el viento de octubre las hacía moverse con una lentitud que a Magdalena le provocaba sueño. Más que una casa, aquel sitio era unas tablas dispuestas de tal forma que formaban tres cajones unidos que no llegaban a ser habitaciones, pero que servían para sostener un techo de tejas musgosas y de hogar a una anciana enjuta que había nacido en algún momento del año sesenta, en el siglo XIX, y gustaba de contarle a su nieta historias que su propia madre le había narrado cuando era una niña y otras tantas que ella misma decía haber vivido.

Durante los meses de invierno, Magdalena solía pasar muchas tardes en ese sitio donde siempre había una olla de barro llena de frijoles sobre las brasas y, colgado de los cuartones que sostenían el techo, el cuero seco de un venado o una cotuza o un conejo o cualquier otro animal que hubiese cazado Mario, el tío de Magdalena, ese hombre que se mantenía hablando con el abuelo de Magda, don Miguel, un viejo alto de ojos azules y pelo poco espeso muy blanco. Don Miguel había llegado a América cuando era un niño. Los motivos del viaje no los recordaba, tampoco el nombre del pueblo donde nació. Vino con su padre. Una sola vez había preguntado por su madre, y esa fue la única ocasión en la que vio llorar a su padre. Y asegura, además, que jamás quiso contarle nada de su pasado y que por ello es que ni siquiera sabe de dónde vino exactamente.

Mientras llovía, Magda se sentaba con los abuelos y todos bebían café hervido con canela y endulzado con panela molida en piedra. A la abuela le gustaba hablar de la época de la independencia. Todas esas historias se las había contado su propia madre, una mujer que sabemos que existió por las historias que tuvo a bien narrar, pero que hace mucho que ya no tiene un rostro y ni siquiera un nombre. Fue ella quien habló de un amor secreto que había vivido el prócer José Matías Delgado con una de sus amigas íntimas. Fue en su casa donde los amantes se encontraban a medianoche. Y fue ella quien relató sobre las batallas sangrientas en las que sus tíos habían participado. Luchas independentistas en las que uno de ellos había perdido una mano y el otro uno de sus ojos y un oído. También hablaba de alguien que viajó a la Capitanía General de Guatemala, allá por 1821, para presenciar esa reunión en la que se firmó la independencia. Contaba acerca de un día soleado y de unos cohetes que explotaron en el cielo y de unas campanas que no dejaban de sonar y de un olor a pólvora y a ron y sudor que manaba de los reunidos en una plaza, todo eso de lo que no hablan los libros de Historia. Pero Magdalena ya no recuerda quién fue la asistente a ese acontecimiento, si su bisabuela o la madre de su bisabuela o quizá una amiga. No lo sabe. No recuerda. Pero sí sabe que el viaje duró varios días, que la carreta en que viajaban era tirada por dos caballos, que alguien nació durante el viaje, una niña, y que alguien más mató a unos bandoleros que quisieron asaltarlos una noche, pero que lo más interesante fue que siguieron a uno de los bandoleros, herido de bala, hasta una cueva adonde llegaron a rematarlo y hallaron unos cofres con monedas de oro y vasijas de barro, y que también vieron que había montones de folios, libros antiguos apilados sobre el suelo formando columnas de tres metros de altura, pero que entre el oro y los libros, prefirieron el oro, que no era mucho, pero que les sirvió para pagar deudas y comprar unos terrenos que quién sabe dónde están.

Cuando la abuela, que se llamaba Estebana Jesusa, contaba sus historias, a Magdalena le gustaba sentarse a los pies de la anciana. Ella hablaba lento, y su voz se confundía con el crepitar del fuego de la cocina de barro y leña donde hervían otra vez los frijoles y la respiración casi asmática del abuelo español que no recordaba ni sabía el sitio en el que había nacido pero que a veces aseguraba que era un pueblo que alguna vez había pertenecido a Portugal, pero que desde 1801 era propiedad de España. Magdalena los escuchaba a ambos, a ella más que a él, con la fascinación, no de una muchacha recién graduada de maestra en la Escuela Normal, ni siquiera con la de una niña de doce años que escucha una historia de espantos, sino con el asombro de una joven conmovida que podía darse cuenta de que en la casa de los bambúes amarillos flotaba otro aire, uno venido de muy lejos en el tiempo, de unas gentes y unos rostros que ya no existían, que ya ni siquiera eran polvo sobre el polvo, pero que respiraban como si estuvieran vivos, junto a ellos, al lado de ese fuego. Por eso amaba ir hasta allí. Y amaba más todavía hacerlo durante los meses de invierno, envuelta en la fascinación de la penumbra que produce la tormenta.

Pese a ello, la tarde del día del milagro, aunque llovía, Magdalena no la pasó en casa de sus abuelos sino donde los Bulnes. Desde temprano había tenido el impulso de irse a la casa de los bambúes, pero decidió que bien valía la pena quedarse con sus amigas, dados los acontecimientos, y de esa decisión, aparentemente banal, se arrepentiría lo suficiente durante mucho tiempo.

—Yo me quedé pensando en los abuelos —dice Magdalena —. Era una tarde como las que nos gustaban. Hacíamos café y nos sentábamos a veces con el tío, o a veces solo los tres, los abuelos y yo, y la abuela Estebana hablaba sobre Matías Delgado y sobre un montón de cosas más. Oír contar lo que contaba era como entrar a otro mundo, pero no fui a oírla ese día, yo quería quedarme con las Bulnes y me quedé con ellas.

Esa tarde, el señor Bulnes la llamó a su despacho. Quería hablar con ella a solas. Nadie se sorprendió en la casa de la petición del señor Bulnes y aconsejaron a Magdalena que no se negara a contestar cualquier cosa que don Luis preguntara sobre Rosa.

El despacho del señor Bulnes era un cuadrado forrado con libros. El escritorio estaba situado frente a la entrada de la habitación y era un armatoste de caoba barnizada con una pequeña lámpara situada en una esquina, un vaso de vidrio lleno de lápices a la izquierda y un montón de papeles en el medio. Tras el escritorio se encontraba una ventana rectangular que el señor Bulnes mantenía cerrada todo el día para que el bullicio del jardín no fuera a interrumpirle la concentración mientras trabajaba en sus asuntos legales o estudiaba cualquiera de sus libros de esoterismo, pero que abría por las noches, cuando quería dejar entrar alguna brisa que emergía entre el follaje de los dos guayabos del jardín. No había más espacio en la habitación que para los libros apilados en las paredes en sendos muebles que el señor Bulnes había mandado a hacer, con las especificaciones pertinentes de medida y longitud, para que coincidieran con la altitud y el largo de las paredes. Magdalena nunca había osado atravesar el umbral del despacho de don Luis Bulnes, y antes de esa tarde en que el abogado la hizo pasar, solo lo había visto desde lejos, desde la sala o a través de la ventana que daba al jardín, siempre y cuando las cortinas blancas, más que blancas, lechosas, estuviesen descorridas. Para ella, en su fascinación todavía adolescente, aquello era algo muy cercano a un santuario. Un sitio que ella asociaba con las buenas costumbres y la educación, casi erudición, de ese señor que admiraba por su cultura y desaprobaba por su disciplina férrea y hasta despiadada con sus hijas. Pese a todo, el respeto hacia don Luis Bulnes, por lo menos en el momento de entrar a su estudio aquella tarde, era mucho más grande que su desaprobación.

—Pase, Magdalena —le dijo don Luis mientras le señalaba una silla de madera con asiento de cuero que estaba frente al escritorio. Magdalena pidió permiso, se sentó y esperó a que el señor Bulnes hablara. Estaba muy nerviosa, pero también un tanto fascinada por hallarse en aquel sitio, en ese santuario de libros empastados en negro y rotulados con letras doradas que despedían un olor que no sabía identificar, un olor delicado, antiguo, un poco aburrido, lento, limpio. No era un olor vegetal, no había ni una sola planta ahí, ni tampoco un aroma animal porque el cuero de las sillas, viejas como el siglo, había perdido para entonces casi la totalidad de su olor salvaje, y tampoco era el olor a lavanda de don Luis Bulnes ni el aroma de su vaselina ni de su aliento a té negro. Era otra cosa. Magda divagaba. Entonces, el señor Bulnes dijo:

—No quiero que piense que no me duele lo que ha hecho mi hija. Rosa es la mayor de mis hijas y aunque no estuviera de acuerdo con lo que hacía, con esas manchas horribles que ella llamaba pinturas, no era como para que se fuera de la casa y menos de esa manera. La pobrecita se engañaba y yo soy su padre, mi obligación era decirle lo que estaba mal.

A Magda, don Luis le parecía menos rígido que de costumbre. Acaso conmovido por lo que había sucedido esa mañana.

—Aunque no lo crea, Magdalena, yo comprendo a mi hija aunque no acepte su actitud, y la entiendo porque yo, aunque no lo parezca, también soy un hombre lleno de pasiones.

Magdalena asintió con un movimiento de cabeza. A intervalos, seguía pensando en el olor que flotaba en el estudio, sin encontrar una respuesta. Mientras, el señor Bulnes sacó de su escritorio unas páginas sueltas escritas en una letra de carta elegante.

—Mire si no. Vea estos poemas nada más que mediocres que intentan ser sonetos de amor —Magdalena se sorprendió al ver que el señor Bulnes le ofrecía las páginas. Ella las tomó—. Lea un poco, dígame qué le parecen. Yo sé que eres sensible Magdalena, te he visto.

Magda leyó unas líneas. Los poemas hablaban de un amor escondido entre cardos, algo que a medianoche viene en forma de viento y eriza la piel y el alma. A ella todo eso le pareció cursi, pero se sintió halagada de que un señor como don Luis Bulnes hubiese querido mostrarle escritos tan íntimos precisamente a ella, una jovencita normalista recién graduada, sin otra educación y sin más mérito que ser amiga y confidente alcahueta de sus hijas.

—Son muy bellos —mintió Magda.

El señor Bulnes se acarició la barbilla con la mano.

—Qué bueno que te gusten —dijo don Luis —. Espero que ya no pienses que soy un viejo grosero y sin sentimientos.

—Yo no he pensado eso don Luis, al contrario.

—Me alegra. Lo que pasa es que un hogar requiere disciplina y una persona como yo no puede darse el lujo de la vulgaridad.

—Comprendo —dijo Magda, al tiempo que dejaba sobre el escritorio los papeles que le había dado don Luis.

—Magdalena, hermoso nombre el tuyo, el nombre de la mujer más querida de Cristo.

—Eso dicen —dijo Magda.

—No solo se dice, así fue. Hay quienes hablan sobre su descendencia, porque tuvieron descendencia ¿Tú sabías eso?

—No, no lo sabía.

—Ya ves, siempre se aprende algo nuevo en esta vida.

Durante el transcurso de una media hora, el señor Bulnes contó a Magdalena la historia de su homónima, de cómo había llegado a algún sitio de Francia y vivido allí y tenido una hija que luego se relacionó con la realeza de ese país. Magdalena lo escuchó sin inmutarse, tan fascinada como lo hubiera estado por cualquiera de las historias fantásticas que hubiese podido relatarle esa tarde su abuela Estebana en la casa de los bambúes amarillos. Para ella significó otro cuento de misterio más de su larga lista de escuchados, pero entonces, en algún momento, el señor Bulnes empezó a hablarle de lo románticos que eran los días de invierno, de lo extraños que eran, tan sombríos, tan propicios para las cosas mágicas.

—Verte a ti cruzar una calle también es una cosa mágica —dijo de pronto don Luis.

Magdalena se sonrojó y no supo qué decir, salvo dejar salir una risita ridícula y decir un breve "gracias" con la voz apagada. En ese instante a Magda le pareció que no estaba hablando con la persona rígida que tomaba el té con su esposa a las cuatro treinta de la tarde, sin sonreír, casi sin hablar, rodeado de sus hijas, sino con un hombre tierno que se había escondido tras una coraza y que ahora salía a la luz, para mayor paradoja, en un día de lluvia. Ambos se levantaron. Eran casi las cuatro treinta, unos minutos menos según un reloj que estaba en la parte trasera de la puerta y que Magdalena dio la vuelta para mirar. El señor Bulnes le pidió que se quedara a tomar el té con ellos. Le argumentó que tendrían un asiento vacío. Fuera, tras la ventana, se oían las voces de la señora y las hijas. Podía ver sus siluetas a través de las cortinas lechosas. El señor Bulnes se acercó. Magdalena había caminado en dirección a la puerta, de espaldas a don Luis, fija en las manecillas del reloj. Su intención era salir de aquel lugar, pero antes de abrir la puerta se detuvo al darse cuenta de que el olor de la habitación había crecido y se volvía un tanto más desagradable. Fue entonces cuando sintió la respiración de don Luis en la espalda. Se dio la vuelta. Los ojos del señor Bulnes estaban demasiado cerca de los suyos. Él se acercó un paso más y ella notó en el pecho un golpe de electricidad y las piernas se le aflojaron. En ese instante, don Luis no se detuvo y la besó con unos labios que ella sintió demasiado húmedos. A pesar de que su cerebro bullía, Magda no pudo reaccionar, lo dejó hacer durante un tiempo que le pareció interminable. Tuvo ganas de vomitar y de llorar, pero aún entonces no lo hizo por respeto a don Luis Bulnes, el padre de sus amigas, sus únicas amigas, ese señor que sus propios padres respetaban y admiraban tanto, el estudioso y serio y rígido y estricto, el moralista, el que había estudiado en el extranjero, el abogado, el que le musitó al oído, como para que no lo escucharan sus hijas y su mujer que reían tras la ventana, en el jardín.

—Eres tan hermosa, Magdalena, que verte cruzar sí que es un acto de magia, y no hay hombre que sea un hombre de verdad que no quede hechizado por ti.

Magdalena siguió sin moverse. Quizá entonces sí que parecía una estatua de mármol.

—Y yo sé que tú me miras —dijo don Luis —, yo te he visto mirarme.

Era cierto, Magda lo miraba, pero no como él quería creer que ella lo miraba sino de una forma muy distinta. Cuando pudo reaccionar, dio la vuelta, tomó el picaporte de la puerta y lo hizo girar. Escuchó, o creyó escuchar, lejana, casi imperceptible, la voz de don Luis pidiéndole que se quedara un rato más, pero Magdalena no puede saber con exactitud si así fue, porque ya entonces tenía la mente en blanco, sus oídos estaban cerrados casi por completo, y solo percibía, a lo lejos, el sonido de sus pies pisando primero los ladrillos lustrosos de la sala de los Bulnes, luego, la acera por donde caminaba, después, el cemento mal distribuido que era el suelo de su casa, adonde entró para dirigirse directa a su cuarto, a su cama. Ese día Magdalena se quedó dormida mucho antes de las seis de la tarde y al día siguiente, que era sábado, no se levantó hasta las diez de la mañana, ante el asombro del padre y la preocupación de la madre, que creían que estaba enferma. Con solo abrir los ojos, Magdalena supo que ya no tenía la mente en blanco y que oía todo lo bien que se puede oír, recordó el sueño que había tenido, ese sueño extraño donde una voz sombría le musitaba palabras terribles, oscuras como maldiciones.

Entonces quiso desear algo definitivo, pero no supo o no se atrevió a desear nada en ese instante, porque, después de todo, ese señor era el padre de sus amigas, las únicas amigas que había tenido desde siempre.

2

Cuando uno venía por la calle, lo primero que veía de esa propiedad eran unos bambúes tan juntos que parecían apilados. Junto a ellos había unas gradas que se hundían en una especie de pequeño barranco. Eran unas gradas desprovistas de repello de cemento, que habían sido forjadas en la tierra con el uso de un azadón. Al lado izquierdo tenían un pasamano elaborado con bambúes cortados por la mitad. Las gradas bajaban hasta una pequeña propiedad, la casa de los tres cuartos donde vivían los abuelos de Magdalena y su hijo menor, el tío Mario. Detrás de la casa había un patio enorme rodeado de los mismos bambúes amarillos, y a la sombra de ellos, durante el verano, siendo Magdalena una niña, su abuela le contaba las historias que le había oído contar a su propia madre, historias que habían ocurrido, si es que habían ocurrido, hacía un siglo. Pero era durante el invierno cuando aquella casa y las personas que la habitaban adquirían una tonalidad un tanto sombría y el fuego que ardía en la cocina de leña diseminaba el fulgor de sus lenguas a través de una habitación que resultaba cálida y misteriosa a la vez por el efecto de ese resplandor.

Magdalena hacía hablar a sus abuelos y se sumergía en un mundo de carruajes y vestidos espléndidos y joyas y aromas de perfumes traídos de extraños sitios orientales, bandoleros, batallas, cuevas con tesoros, fiestas interminables y banquetes que duraban seis días seguidos y casas con pasadizos secretos donde en cuartos escondidos se tramaban revoluciones inconclusas o se hacían rituales a favor de dioses de nombres tan extraños y antiguos que ni siquiera los recuerda ni se atrevería a mencionarlos. Todo ello provocaba tal fascinación en Magdalena, que se sentía, no solo atrapada en ese mundo, sino profundamente complacida con él. Para ella, sumergirse en la casa de los bambúes era como penetrar en el ámbito de los libros que le leía a su padre Leocadio, con el agregado de que los libros estaban llenos de historias inventadas y los relatos de la abuela Estebana eran, según ella solía asegurar, unas cuantas memorias, hechos absolutamente verídicos. Y aun cuando empezó a trabajar y no podía llegar con la frecuencia que quería a la casa de los bambúes, siempre encontraba tiempo para ir con sus abuelos y su tío cazador de conejos y venados, aunque fuera un par de horas a la semana.

Pero al día siguiente del incidente con don Luis, al despertar, aunque tenía, lo sabía ella, todo el tiempo del mundo, no le apeteció ni lo más mínimo ir a visitar a los abuelos. No quería escuchar más historias sobre héroes románticos y gritos de independencia y bisabuelas aventureras. No quería hacer nada, ni levantarse de su cama, ni ponerse un vestido, ni sentarse a la mesa, ni comer. Tenía una sensación de somnolencia en todo su cuerpo y unas ganas de llorar que le provocaban náuseas. Pero el cansancio era mayor en los labios: no los sentía. Parecía que no estaban en su lugar. Incluso creía que, si se miraba en el espejo, se encontraría con una boca sin labios. Tan convencida estaba de ello que, cuando finalmente se levantó y fue a bañarse, no quiso mirarse en el espejo por miedo a verse como se había imaginado. Al mediodía tampoco probó bocado alguno. Cogió un libro de los de su padre, fingió leer, y pasó toda la tarde en lo mismo, ante la mirada escrutadora de su madre que, sin embargo, no se atrevió a preguntarle nada.

Fue un día gris. Frío. Ventoso. Sin pájaros. Por la noche, su padre la llamó a la mesa y ella fue por obligación. Entonces se dio cuenta de que la somnolencia era aguda también en la lengua: había perdido el paladar. Además, la sentía lenta y pegajosa como un molusco que agoniza. Los frijoles refritos le supieron a aire y el café era tan sin sabor como el agua y los huevos nadando en tomate no sabían a huevos, le pareció que no sabían a nada. Después de la cena se fue a su cuarto a pensar y a sentir. Tenía miedo de sufrir algo terrible. Sentía un dolor leve en el pecho y se preocupó un poco, porque supuso que también el corazón podía dormírsele y no quería causar sufrimiento a sus padres. No lo merecían, y menos por semejante causa.

Más tarde oyó los gritos de su padre llamándola. Quería que le leyera un libro. Durante poco más de una hora leyó en voz alta, pero también el gusto estético lo tenía adormecido porque no disfrutó nada, todo le pareció un sinsentido, algo incoherente, aburridísimo. A la mañana siguiente se despertó a las once, una hora más tarde que el día anterior. Al abrir los ojos, sin embargo, creyó que era de noche porque el día estaba oscuro. Llovía. Magdalena se sentía cansada, no quería levantarse, le dolía un poco más el pecho, comenzaba a costarle respirar. Pensó: "Ojalá se haya ido ya. No quiero volver a verlo". Pero era muy pronto todavía.

Qué pena que entonces no se diera cuenta, pensaría después, que, al desear aquello, al desear que don Luis se fuera, no se diera cuenta de que no se marcharía él solo. Pero Magdalena no podía pensar en nada más, no podía comprender nada más que su deseo, no podía adivinar que, unos días más tarde, don Luis Bulnes le pediría a la esposa que preparara su equipaje, el suyo, el de ella y el de las hijas, porque se iban rumbo a Europa con el pretexto de buscar a Rosa. Cuando la mujer le preguntó que por qué tenían que dejar todo atrás por buscar a la hija, el señor Bulnes le dijo que así tenía que ser y no aceptó más protestas.

¿Cómo podía haber sabido Magdalena que la tarde del viernes había sido la última vez que vería a sus amigas en su casa, las únicas de entonces, las niñas Bulnes, con las que había compartido los primeros sueños? La vida, sin saber cómo, se le había convertido en algo inesperado y terrible. Y ella no podía saberlo. En cambio, esa mañana oscura solo podía sumergirse en su deseo de que alguien le comunicara que ese hombre se había marchado para no volver.

Al mediodía entró su madre a la habitación. Magdalena estaba acostada en la cama, con los ojos perdidos en el techo, las sábanas a un lado, vestida con un camisón blanco de algodón remendado a la altura del pecho. Tenía el cabello desperdigado como un río negrísimo diseminándose a través de incontables bifurcaciones a lo largo y ancho de una almohada poco mullida, y las manos displicentes, cansadas, tendidas y amarradas sobre su frente. Cuando la madre entró, ni siquiera se volvió para mirarla.

—Bueno, muchacha, ¿es que estás enamorada?

Cuando la madre dijo eso, Magdalena no pudo contener una arcada terrible y vomitó un líquido blancuzco sobre el suelo, al lado izquierdo de la cama.

—Dios mío, hija, estás enferma.

Magdalena respondió que no con un lentísimo movimiento oscilante de cabeza. La madre salió de la habitación y un instante después regresó con algo de arena que tiró sobre el vómito. Magdalena seguía igual, salvo por el pecho, que le dolía aún más. Por otro lado, sus labios sostenían una sonrisa: Magdalena se había atrevido a pensar que era muy bueno no tener lengua pues no había notado el desagradable sabor del vómito.

—Mandó a decir tu abuela —dijo la madre —que te ha estado esperando desde el viernes y que tú ni te has asomado, que mires qué bonito está el día.

La madre, que había estado parada junto a la cama, se sentó en un borde de la misma y le acarició durante mucho rato el cabello a la hija. De pronto, sin sentirlas ni en los ojos ni sobre los pómulos, Magdalena derramó unas lágrimas gruesas y lentas que su madre secó con los labios mientras ella misma mojaba el rostro de su hija con sus propias lágrimas, quizá menos terribles, como lo son las lágrimas de esa clase de amor. Unos minutos más tarde, cuando su madre se fue, Magdalena se dio cuenta de que no quería morirse. La niña no se había dado cuenta de que estaba deseando morirse y que, conforme a su deseo, se estaba muriendo. Así que dejó inmediatamente de desearlo. No podía hacer otra cosa. No podía desear vivir porque no hubiera dado resultado. Pero con no desearlo las cosas mejoraron bastante. Al menos el dolor del pecho aminoró, aunque, más tarde, cuando se sentó a la mesa y comió, se dio cuenta de que, en cuanto a los labios y la lengua, nada podía hacer. Los alimentos le supieron a espuma: a nada. Cuando terminó de comer, salió al patio. Lloviznaba. Cuando entró, fue a buscar un paraguas destartalado, negro, y salió de su casa sin avisar. Caminó a través de calles sombrías y solitarias. Escuchó, como en un sueño, las campanas de una iglesia doblando por encima del sonido de la lluvia. Caminó durante unos cuarenta minutos hasta llegar a un sitio donde crecían unos bambúes amarillos, altos, esbeltos, con ramas raquíticas de hojas muy verdes, trémulas por el viento que soplaba dulcemente, como cuando una madre amorosa le sopla la cabeza a su recién nacido para que se duerma. Bajó doce escalones con las piernas temblorosas: tampoco había podido hacer nada por sus piernas, pero el corazón ya le dolía mucho menos. Cuando tocó el suelo de tierra húmeda, percibió el olor de los frijoles que hervían otra vez, y escuchó, como un murmullo, las voces que venían de dentro de la casa. Caminó hasta llegar a una puerta abierta que cruzó. Entró a una habitación suavizada por el brillo de un fuego que provenía de la cocina de barro sobre la que hervían los frijoles. En torno al fuego había cuatro sillas de madera. Tres de ellas estaban ocupadas. Magdalena tomó asiento en la cuarta... y escuchó:

—Esto pasó allá por mil novecientos veinte y tantos — dijo doña Estebana—, y lo vivimos nosotros. Y duró apenas un ratito pero todavía puedo escuchar esa voz, porque fue como un hechizo. Mucha gente no se acuerda de lo que pasó. Nosotros ni siquiera recordamos el año exacto, pero no somos tan desmemoriados como para no acordarnos de que de verdad pasó. Ese día que te digo estábamos aquí, alrededor de este mismo fuego. Era el día de Navidad. Me acuerdo de haber sentido primero un viento bien fuerte, tan fuerte que algunos bambúes se quebraron. Eran las once de la noche más o menos cuando oímos que traía como un susurro distinto.

—Como si no fuera el mismo viento —dijo el abuelo.

—Como si hubiera otra voz en su resoplido, una vocecita que poco a poco se fue haciendo más fuerte. Con tu abuelo salimos al patio y de repente se oyó bien clara aquella voz.

—Las ramas de esos bambúes temblaban como si todas se fueran a quebrar.

—Y el ventarrón soplaba bien fuerte y a mí me dieron ganas de llorar de emoción al oír esa voz que venía del aire. Era una voz de mujer la que se oía.

—Y a mí no me da vergüenza decir que también me dieron ganar de llorar y abracé fuerte a tu abuela.

—Sí, me abrazó, y entonces llegó un momento en que la voz se hizo fuerte como si la mujer que estaba cantando estuviera a nuestro lado. Cantaba algo bien raro que a los días se nos olvidó.

—Y no lo hemos vuelto a recordar nunca.

—Nunca, porque de esa canción solo quedó la sensación de felicidad. Eso es rarísimo: una se sentía feliz. Y no creas que te estamos mintiendo, porque aquello no solo lo oímos nosotros, lo oyó todo el mundo, y no te miento ni te exagero. Al siguiente día, la gente comentaba en todas partes que había oído a la mujer cantando en el viento. Y la gente decía que había sido en un idioma raro, pero también decían que habían sentido gozo, como la presencia de Dios.

—Sí, toda la gente habló de eso durante bastante tiempo.

—Porque se oyó en todas partes, en toda la ciudad y hasta más allá de lo que uno se imagina se oyó porque hasta en los pueblos dicen que lo sintieron.

—Todo eso pasó allá por mil novecientos veinte y tantos, en una noche de Navidad, pero la gente ya no se acuerda de esas cosas. A saber por qué las cosas de Dios se olvidan tan rápido.

—Porque eso fue cosa de Dios.

—Sí, por eso se les olvida, pero pregúntales del terremoto de principios de siglo o de la matanza del treinta y dos y no hay quien no se acuerde de eso, pero luego pregúntales sobre la noche en la que una mujer cantó en el viento y de eso no se acuerda nadie, todos perdieron la memoria.

Los abuelos callaron. Magda los había escuchado en silencio y se dio cuenta, por primera vez en su vida, que no creía lo que le contaban. Se dio cuenta de que pensaba que todo ese asunto era tan absurdo como imposible. Esa sensación, que era también una certeza, le entristeció muchísimo. Y aunque escuchó otras historias aquel día, ya no pudo creer ninguna de ellas. Permaneció sentada con los ancianos y con el tío alrededor del fuego hasta el final de la tarde, y, a medida que pasaban los minutos, las horas, el día mismo, se daba cuenta de que, por alguna razón que no alcanzaba a comprender, la casa de los bambúes amarillos ya no sería la misma, porque alguien le había llenado de oscuridad su corazón.

Seis meses más tarde, una mañana, al abrir los ojos, Magdalena recordaría el tercero de sus sueños, y solo entonces se levantaría.

3

Se vistió con un traje color café de dos piezas. Una falda lisa hasta debajo de las rodillas, y una blusa sin bolsillos, con unos botones cuadrados forrados de tela, grandes y feos. Se arregló el pelo en dos flancos, con un camino en medio. Se perfumó la cabeza, esta vez con una infusión de jazmines y vainilla que ella misma se había preparado. Se matizó los labios con jugo de moras y se dio unos toques de color en los pómulos con los cosméticos que le había obsequiado en su diecinueve cumpleaños su amiga Ana Bulnes. No solía usar medias, pero con el dinero de su sueldo compró unas de seda en el mercado y también unos zapatos de tacón alto hechos en México. Salió a las tres de la tarde y caminó sin saludar a nadie rumbo a la estación de trenes. Era un día hermoso, soleado, y los jazmines de su cuadra habían estado manando su perfume durante toda la víspera. Magdalena lo supo. Los residuos flotaban invisibles en el aire. Ese aroma invisible le marcaba un camino.

LA DURMIENTE

1

Lo vio venir con una maleta negra en la mano. Vestía de traje, una corbata delgada y un sombrero de fieltro del mismo color que la chaqueta: café oscuro. Caminaba sin mirar hacia los lados porque no tenía a quién buscar en esa ciudad donde no conocía a nadie, salvo a las monjas y al jardinero con los que había vivido en un convento, pero a los que no había avisado de que regresaba. Ella, desde el andén, lo saludó con una mano alzada. Él la miró pero no hizo caso. Supuso que el saludo no era para él. El tren se había retrasado unos minutos y los pasajeros habían tardado otro tanto en salir. Magdalena llegó temprano. Muy pocas veces había visitado la estación antes de aquel día y todas esas ocasiones fue por la mañana. Nunca había llegado a esperar a nadie. Cuando llegó aquella tarde, se encontró una estación colmada de gente, pero nada le llamó más la atención que las mujeres sentadas en los andenes, en las sillas junto a la boletería o recostadas sobre alguna columna. Se hacían notar aunque no hablaran ni vistieran ropas extravagantes. Podían distinguirse sin ningún esfuerzo incluso mirándolas de espaldas. Magdalena se dio cuenta de que la mirada de esas mujeres tenía un aspecto oscuro, como de quien espera sin esperanza pero sin poder dejar de hacerlo. Sus pómulos, envejecidos, afeados por las ojeras, parecían haber recibido demasiado llanto. Verlas era casi estar en presencia de una comunidad de fantasmas. Magdalena había escuchado hablar de ellas, pero nunca las había visto. Rosa Bulnes le dijo alguna vez que la tristeza olía a crisantemos porque esas mujeres olían a eso. Todas ellas. Nadie sabía explicarse por qué. Magda pensó que Rosa tenía razón.

Siempre sucedía lo mismo en la estación: alguien partía y no volvía jamás. Los que se iban eran hombres. Unos se fueron a la guerra y no volvieron; otros se marcharon a trabajar a los Estados Unidos o al Canal de Panamá y no regresaron más que unos cuantos. Se fueron dejando novias o esposas o hijos o familia. Para Magda, en todas las estaciones siempre debía ser otoño. No importaba que fuese verano. Ese día, al entrar a la estación y ver a la primera de esas mujeres fantasmales, se dio cuenta de que aquel lugar era diferente, por eso no se inmutó cuando, al llegar al andén de espera, se percató de que caía una leve llovizna.

Caminó con impaciencia. Entonces escuchó un silbato que era como un resoplido pero que a ella le pareció un fuego sonoro porque casi le había quemado el pecho. Después de unos minutos que le parecieron interminables, el tren se detuvo y los pasajeros empezaron a bajar. Vio a una señora gorda con dos niñas rubias muy bonitas que no tenían aspecto de ser sus hijas. Después observó a un grupo de militares y notó que uno de ellos no tenía orejas. Se quedó mirándolo hasta que se perdió entre el gentío. Tenía un aspecto serio. Magda se preguntó si aquel hombre aún era capaz de oír. Cuando era niña su abuela le dijo que algunos sordos lo eran porque oían el sonido del universo, que, así como los caracoles tenían dentro el mar, ellos tenían lo que estaba fuera del mundo: el silencio.

Magdalena pensaba en ello cuando volvió la vista. Entonces salió del tren un hombre con un sombrero de fieltro café oscuro. Magdalena lo saludó de inmediato con la mano levantada, pero el tipo ni siquiera la notó.

Como ella estaba demasiado impaciente, decidió enfrentarse al destino, como en su sueño, porque todo lo había hecho como en su sueño, donde había visto un hombre sin rostro vestido con un sombrero café oscuro de fieltro y ella llamándolo por la espalda. Entonces fue hacia él. No dudó. No había por qué dudar. Lo tocó en la espalda y se volvió hacia ella. "¿Sí?", dijo él, pero Magdalena no supo qué decir. No deseaba quedar en ridículo. Supuso que si le decía "tuve un sueño con usted", el hombre se reiría en su cara.

Desde que el señor Bulnes la había besado, Magdalena sentía que no era la misma, que ya nadie la miraba, que se había vuelto fea, que había perdido el sentido del gusto y de lo hermoso. Lo que no comprendía era que para las demás personas seguía siendo la misma muchacha hermosa de siempre y que, para un hombre, para el tipo del sombrero de fieltro, por ejemplo, no importaba que fuese muda o estúpida si lo miraba con esos ojos espléndidos y le mostraba esa sonrisa que quería decir, entonces, aunque Magdalena no se diera cuenta de eso, "ven conmigo".

—¿Sí? —volvió a decir él y ella no dijo nada otra vez —. ¿Le pasa algo? ¿Necesita una dirección? Porque si necesita que le indique una dirección no creo que pueda dársela, acabo de llegar y no conozco esto mucho; vengo de Panamá, pero soy de aquí, lo que sucede es que me fui muy joven y nunca viví en San Salvador. ¿Usted es de aquí? — Magdalena asintió con la cabeza —. ¿Acaba de llegar también? —ella negó con la cabeza —. Mire —dijo él —, yo me dirijo hacia la salida, si me dice para qué me necesita veo en qué la puedo ayudar.

Hubo un silencio largo entre ambos, una de las mujeres fantasmales con un pañuelo en la boca pasó entre ellos sin pedir permiso, él la miró, no a Magda, a la mujer, y Magda lo observó mirarla.

—Perdón —dijo él —¿me decía usted?

—No —susurró Magda, pero él no llegó a escucharla —.

—Perdón, ¿qué ha dicho? —entonces ella habló un poco más fuerte —.

—Nada, dije que no había dicho nada.

—¿Usted es una de ellas? —preguntó él —. Se lo digo porque si me ha confundido con alguien quiero decirle que cuando me fui no se quedó esperándome nadie. Si espera a alguien, seguro que no soy yo.

—No —dijo Magda —no soy una de ellas.

—¿Y entonces? —preguntó él, dejando la maleta en el suelo —.

—No soy una de ellas pero sí lo he confundido con alguien, disculpe.

Magda dio la vuelta y caminó dejándolo atrás.

—Señorita —la llamó él, casi de inmediato. Ella se dio la vuelta —. ¿Podría recomendarme un sitio donde pueda alojarme? No me refiero a un hotel, sino a algo así como una pensión. Con que sea aseada me conformo.

—¿Una pensión limpia? —repitió Magda.

—Sí —dijo él.

Magda había tenido tres sueños en su vida. Uno de ellos, el último, tenía que ver con esa estación y ese hombre. Un hombre sin rostro vestido como aquel desconocido que le pedía una recomendación. De pronto tuvo la sensación de que era alguien conocido de hacía mucho. Algo se había despertado en ella. No lo veía guapo. Ni siquiera atractivo. Lo que sintió era que le pertenecía.

—Sé dónde —dijo Magda —. Le voy a llevar.

—Bueno —dijo él, mientras cogía la maleta.

Cuando salieron de la estación, el día era soleado y caluroso. Caminaron a través de una ciudad que ambos parecían desconocer. Compraron dulces en conserva a una vendedora ambulante. Se sentaron en un parque a comerlos. Escucharon las campanas de la iglesia de Candelaria a las cuatro treinta. Observaron a un grupo de señoras beatas deslizarse como espantos a través de la acera, con sus vestidos negros con revuelos de encaje y sus pañuelos oscuros cubriéndoles la cabeza y enmarcándoles el rostro.

—Hacía años que no probaba una conserva de coco —dijo él.

—Pruebe el chilacayote, pero coma de la parte más dura, que es la mejor.

Él probó y estuvo de acuerdo con ella acerca de que era la mejor parte. A las cinco de la tarde escucharon más campanas y el viento cambió y el cielo se llenó de palomas.

—¿Cómo se llama? —dijo él, entonces.

—Magdalena —respondió ella, y se dejó caer sobre el respaldo de la banca donde estaban sentados —. ¿Y usted?

—Vicente Sánchez —respondió y guardó un largo silencio porque en mucho tiempo no le había dicho su nombre completo a nadie y al decirlo se le vinieron a la cabeza un montón de imágenes que hubiese querido olvidar pero que no olvidaría en el resto de su vida.

—¿Y a qué viene Vicente Sánchez? —preguntó Magda, y Vicente guardó otro silencio, uno menos largo que el anterior.

—No sé exactamente a qué vengo, pero hace unos días, y se lo digo aunque no me crea, sentí una gran necesidad de venirme para acá. Fue bastante raro. Yo ni viví aquí. Yo viví un montón de años en Santa Tecla, allí estudié con unas monjas, allí murió mi madre, hace años de eso, pero no me nació irme para aquel lugar sino para este, que ¿qué voy a hacer? No sé... No sé, ni quiero pensar en eso todavía. Tengo algo de dinero ahorrado, de lo que trabajaba, y eso me alcanza, digo yo, para vivir unos cuantos meses, y en ese tiempo voy a conseguir trabajo de algo. ¿Sabe que ese dinero lo tenía ahorrado para otra cosa?

—¿Para qué?

—Quería comprar un mapa, pero no era un mapa cualquiera, era el de un tesoro.

Magda escuchó conmovida.

—¿Y por qué no lo hizo?

—Eso no se lo voy a decir —dijo Vicente —, pero lo que sí le voy a decir es que, después de todo, ese dinero sí lo tenía reservado para encontrarme un tesoro.

Ella sonrió otra vez. Las campanas volvieron a doblar, las de la iglesia de Candelaria y las de la catedral. Ella pensó que su ciudad era un sitio demasiado pequeño para tantas iglesias. Él no tenía nada que pensar. Simplemente se acercó a ella lo suficiente como para sentir su aliento tibio y la besó con una torpeza inusitada, con labios poco obedientes, pero comprobó, con enorme emoción, que Magdalena tenía el sabor de la parte dura del chilacayote: interminablemente dulce.

La bella durmiente que fue Magdalena perdió el paladar una tarde de 1950, por un beso no deseado, y lo recobró bajo una multitud de campanas una tarde de abril de 1951, casi seis meses más tarde, con el milagro de un beso tan inolvidable, torpe y delicioso como inesperado. Para ella, Vicente siempre tuvo el mismo sabor de dulce en conserva en los labios. Un sabor que permanecería en ella durante muchos años, tantos, que, cuando tuvo que despedirse de él y sus labios temblorosos la besaron, ya no como el muchacho que encontró en una estación de trenes por un sueño, sino como el esposo que agonizaba en una habitación olorosa a sudor y a medicinas, recordó la misma sensación de aquella tarde, esa misma dulzura confundida con conserva de coco y chilacayote, porque esas cosas sencillas, acaso solo eso, es lo que permanece para siempre.

2

Ambos éramos vírgenes, me dice como si me hablase de cualquier cosa. Yo la dejo y me explica que fue por eso por lo que su amor —si es que puede llamarse de esa forma a ese sentimiento agotador que sentían, lo que para mí es solo vulgar deseo —los hizo entregarse de una manera casi insana, juvenil, a pesar de que él era un hombre de veintinueve años y ella era una muchacha de veinte, graduada como profesora y con un trabajo a tiempo completo en una escuela de la capital. No pasó mucho tiempo para que se buscaran más allá de unos cuantos besos furtivos, dados entre conversaciones sobre viejas historias, ninguna de ellas personales, y campanas de iglesia que sonaban, al parecer, con más insistencia cada vez. Fue antes de que Vicente la llevara a la casa donde vivía, esa noche donde engendraron al primero de sus seis hijos, cuando su padre le preguntó por lo que estaba pasando. Ese día Magda había leído durante mucho tiempo a su padre. Al final de la lectura, muy tarde ya, mucho después de las diez, Leocadio le preguntó qué significaban las habladurías que doña Margarita andaba divulgando por ahí.

—¿Qué habladurías? —preguntó ella.

—Las que le dijo a tu madre esa vieja imbécil, eso de que te han visto paseando con un hombre.

Magda se quedó sumida en un mutismo que no hizo más que confirmar lo que su padre había preguntado.

Del día en que conoció a Vicente en la estación a la noche en la que su padre le preguntó por él, habían transcurrido poco más de tres meses. En ese tiempo, Vicente había conseguido trabajo en una compañía como vendedor de seguros de vida y había alquilado una pequeña casa en el barrio San Jacinto. Magdalena lo acompañó a comprar una insignificante cocina de gas de una hornilla, una cama, un juego de comedor, un par de sillas de mimbre que servirían de sala y una vajilla de cubiertos, ollas, platos y cuchillos, todo ello con algo de los ahorros de Vicente. Aquella primera casa era un sitio de dos habitaciones, un baño, una cocina, un espacio dividido por una pared de madera que separaba la sala del comedor, y un patio con una pila y cuerdas para tender la ropa.

Magdalena no quiso visitar la casa al principio. Tuvieron que pasar dos meses para que se atreviera a entrar. Hasta entonces, lo único que había hecho con Vicente era pasear por los parques cuando llegaba la tarde, ir al cine los fines de semana, cenar cualquier tontería al oscurecer o ir a misa. Y en tanto ir y venir, doña Margarita la había visto algunas veces. Una mañana, se encontró a la madre de Magdalena en el mercado.

—Sepa que no quiero meterme en lo que no me importa, pero tenga cuidado con Magdita.

—Y eso ¿a qué viene?

—No, yo le digo eso, pero nada más.

—Si tiene algo que decirme, doña Margarita, mejor dígamelo de una vez, así no me deja pensando.

—Bueno, se lo voy decir, pero allá usted. Yo he visto a Magdita que anda con un muchacho, y no quiero alertarla, pero no la he visto solo una vez sino varias, a eso de las cinco, y no es por afligirla, pero hasta besuqueándose los he visto.

—Ah, pues —dijo la señora, asombrada porque su hija no le hubiera dicho nada sobre el asunto.

Más tarde, tras pensarlo mucho, supuso que lo mejor era comunicárselo al padre, don Leocadio, que fue quien después le preguntó a la hija.

—Que dice doña Margarita que te ha visto con un muchacho —dijo don Leocadio.

—Ya ves cómo es esa señora. Pero a usted no le voy a mentir, sí que he conocido a un muchacho, pero cuando digo conocer es eso, todavía lo estoy conociendo.

—Mira —dijo Leocadio —, yo no te voy a prohibir nada, tú ya eres una mujer, pero a mí eso de que andes paseando a escondidas no me gusta.

—Es que no ando paseando a escondidas, ando en la calle.

—Tú me entiendes, Magdalena, sabes bien de lo que hablo, porque ni a tu madre ni a mí nos habías dicho nada y ha tenido que venir una vecina a contarnos este asunto, que si no es por ella de nada nos enteramos.

—Pero si es que estoy viendo si vale la pena presentárselo, y si no vale la pena ¿para qué lo traigo a la casa?

Don Leocadio pidió conocer al pretendiente de la hija, y Magda se negó alegando que no sabía si era conveniente, que no lo conocía bien todavía. Al final de la noche, después de mucho discutir, don Leocadio le prohibió volver a verlo hasta que no lo llevara a casa, que si de saber si era buena persona se trataba, él podía decírselo, porque era hombre y conocía cómo eran los otros hombres, así que no tenía excusa. Magdalena aceptó lo que le dijo su padre y se fue a acostar. Pero lo aceptó porque no quería discutir, aunque no tuvo la intención de hacerle caso, al menos en ese momento, porque no era mujer de andarse escondiendo, ella hubiese querido llevarlo a su casa, presentárselo a su padre, lo que en definitiva nunca haría por culpa de las circunstancias que se dieron después.

Al día siguiente se encontró con Vicente más temprano. Un mes antes Magdalena se había comprado un vestido en un almacén del centro: un atuendo color beige, largo hasta un cuarto por encima de los tobillos, con paletones en la parte de abajo y un cuello en forma de corazón invertido. Ese día se puso su vestido nuevo, se maquilló los pómulos, se pintó los labios de rojo encendido con unos cosméticos norteamericanos que había comprado en el mismo almacén, y se roció el cuello con su infusión de jazmines. Así salió para la escuela por la mañana. Bajo el vestido solo llevaba un fustán. La escucho y noto en ella una vitalidad que no conocía, como si de alguna forma volviera a ser esa mujer que fue, la muchacha de entonces y no la sombra sentada en una mecedora inmóvil, al fondo de una habitación que queda al fondo de una casa, o en un abismo dentro de un abismo, porque las dos expresiones tienen en este caso el mismo significado. La veo y la escucho contármelo y ya no es, por un instante, por este instante nuevo, íntimo, más largo de lo habitual, la sombra que se diluye en este silencio acompasado apenas por su voz, por su relato, por sus ganas de dar cuenta de algo, de un legado de historias fantásticas cuyos actores no le interesan a nadie más que a quien vuelve a darles vida, porque los sentimientos a los que se refiere ya no son reales, se apagaron hace demasiado tiempo, pero que, por arte de una magia incomprensible que no es la magia que ella dice poseer, la hacen volver a sentir, aunque sea por un breve y casi insignificante atisbo, un gramo de pasión, una molécula, un instante de una pasión que alguna vez la hizo libre, que la hizo ir en contra de todo y a favor de lo que creía. Entonces sí que me sorprende, me asombra esa confesión sin asomo de vergüenza y me pregunto quién es esa mujer que está escondida bajo la sombra que parece emanar de ella misma, en medio de esa niebla que se ha instalado en esta habitación como la oscuridad en el interior del féretro de un muerto. ¿Quién es? Esa es mi pregunta, no puedo responderla, pero ella sigue hablándome, yo callo, permanezco en silencio y ella sigue y me dice que pasó todo ese día cuidándose de no despintarse los labios, de no doblar la pierna al sentarse en su escritorio frente a sus alumnos de tercer grado, de no despeinarse demasiado, de no moverse mucho para que el sudor no empobreciera el olor de su perfume casero. Pasó nerviosa toda la mañana, pero por la tarde se sintió tranquila y hasta un poco impaciente. Había decidido entrar a esa casa por primera vez.

Cuando llegaron, descubrió que el lugar estaba lleno de rosas tiradas en el suelo: con solo abrir la puerta y dar el primer paso, el regalo de su novio hizo que se le doblara el tobillo al deslizarse con uno de los tallos. "Dios bendito", fue todo lo que dijo Vicente, cuando vio que su joven futura amante volaba por los aires emitiendo un chillido absoluta e inesperadamente ridículo.

—¿Te has hecho mucho daño? —preguntó, sinceramente afligido.

—No tanto, pero creo que me he doblado el tobillo y mañana me va a amanecer morado.

—Perdóname, fue lo último que pensé que iba a pasar.

Vicente la levantó y la llevó en brazos hasta la cama. Mi abuela cuenta que ambos se rieron un poco. No dice más. Lo que sigue lo calla, vuelve a su escondite, y el instante de libertad ha terminado. Se queda mirando hacia una oscuridad que solo ella conoce, no dirá nada más, es inútil preguntarlo porque ni ella va a decirme nada ni yo quiero saberlo, pero es fácil imaginar la habitación donde estuvieron, a media luz, envueltos en la casi penumbra de la tarde, rodeados por el olor de las rosas en el suelo, escuchando, a lo lejos, las campanas de siempre, más lejanas entonces, palpando sin saber qué palpar ni cómo hacerlo para que fuera satisfactorio y quizá más que satisfactorio, pero guiándose por el deseo.

Aquella tarde supo que aquel hombre era su destino. Fue como abrir una puerta y pasar a través de ella. Quizá lo sabía desde antes, pero no con esa certeza con la que lo comprendió entonces. Y sabía que no sería fácil, pero que, para entonces, ya aquel hombre le resultaba inevitable.

3

Cuando Magdalena llegó a casa de sus padres el día en que Vicente y ella se amaron, don Leocadio estaba sentado a la mesa, esperándola.

—¿De dónde vienes? —le preguntó.

—He ido a caminar —le respondió ella, mirándolo a los ojos.

—No juegues con fuego, muchacha, yo no soy tu madre, tus hermanos preguntan por ti, y dicen que la calle es tu vida, que qué es eso.

—Ya está usted igual que el señor Bulnes.

—Pues honor me haces al compararme con ese señor que es tan decente, lástima que las hijas lo paguen tan mal.

—¿Lástima?, lástima por las hijas, que no las dejó hacer nunca nada.

—Por la gran puta —dijo Leocadio, subiendo la voz —, ¿en qué pensáis vosotras? A saber, en qué mundo andáis.

—Es que ése es el asunto, papá —dijo Magdalena —, Rosita no pensaba, ella sentía, lo que es mejor, y si se hubiera dedicado a pensar todavía estaría en el patio de su casa oyendo a su padre quejarse por sus pinturas.

—Ah vaya, hoy resulta que don Luis era el malvado, resulta que no importa que el pobre hombre haya vendido todas sus cosas y se haya ido a buscar a la hija al otro lado del mar, resulta que no, que eso es cualquier cosa, y tú, desagradecida, ya me ha contado tu madre que ni siquiera quisiste ir a despedirlos, a pesar de cómo han sido contigo. Ahora solo andas con el 'hijodeputa' ese que dices que estás conociendo. No creas que tus hermanos y yo somos imbéciles porque nos vas a encontrar.

Los Bulnes se marcharon una mañana de mayo. El señor Bulnes había cerrado su despacho y vendido las dos casas que habitualmente alquilaba, además de unos terrenos que tenía camino al mar. La casa donde vivió con su mujer y sus hijas no quiso venderla porque tenía la intención de regresar alguna vez, y a más de uno de sus amigos y conocidos les dijo que, si no podía regresar antes, al menos lo haría para morirse, para que lo enterraran al lado de sus padres.

Ana y Magdalena se vieron por última vez en el parque frente a la iglesia de San Jacinto. Se sentaron en el kiosco octogonal que entonces existía en el centro del lugar. Era poco después del mediodía y en el parque no había más que algunas rezagadas parejas de novios y algunos vagos. Ellas se citaron allí para almorzar. Magdalena preparó un par de pechugas de gallina encebolladas y compró tortillas y fresco en el mercado. Ana había cocinado un arroz con vegetales y algo de dulce de plátano. Comieron mientras recordaban otras épocas, otras ilusiones, otros hombres.

—Fíjate, me voy y no he conocido a Vicente —dijo Ana.

—Yo hubiera querido que lo conocieras, pero siempre está trabajando el pobre.

—Es que te tenías que haber llegado a la casa con Vicente, no creo que mi padre te hubiera dicho nada ya de Rosa.

—Quizá no me hubiera dicho nada, pero a mí me da vergüenza, ya sabes. Tu padre me cree cómplice.

—Mi padre es un amargado.

Llevaban juntas desde poco antes de la una e iban a dar las cinco cuando Ana Bulnes abrazó a Magdalena. El parque estaba lleno de gente a esa hora y unos muchachos provistos de instrumentos, guitarras, violines desvencijados, y un violonchelo rústico con un par de cuerdas de plástico, se habían acomodado en el kiosco para tocar algo de música, y por ello, las muchachas, Ana y Magdalena, habían ido a caminar por los alrededores del lugar. Ambas se habían sumido en un amable mutismo. Caminaban sin hablar porque ya casi no tenían nada que decir. Ana porque no podía convencer a su amiga de que fuera a su casa a despedirse al día siguiente, y Magdalena porque no quería decirle a su amiga de siempre que su respetado padre era en realidad un desgraciado. Cuando sonaron las campanas de la iglesia de San Jacinto, anunciando la misa de las cinco de la tarde, las dos se detuvieron y se abrazaron muy fuerte.

—¿Sabes algo, Ana? Rosita está bien, yo sé que está bien.

—Si tú me dices eso te creo, tú en esas cosas no te equivocas.

—¿Y sabes qué más? Yo creo que vosotros no vais a volver, eso es lo que siento.

Ana no tuvo valor para contestar nada, porque sabía que Magdalena no decía esas cosas por decir y eso la llenó de un miedo muy grande. Se separó de Magdalena pero la cogió de los hombros, mirándola a los ojos, y entonces dijo algo que Ana no creyó:

—Tú sabes que voy a escribirte, pero te voy a escribir una sola vez, para anunciarte cuándo volvemos, porque en eso te equivocas, y cuando menos te lo esperes, nos vas a tener aquí de vuelta.

Cuando se separaron, Magdalena sabía que no volvería a ver a Ana Bulnes jamás. Estaba convencida de que nunca llegaría un cartero a su puerta con la carta de una tal Ana Bulnes desde un sitio de Europa anunciando que regresaba, que fuera a esperarla a la estación de tren, de barco o de avión, y que preparara una fiesta de bienvenida. La amiga se le iba para siempre. Y aunque ese no había sido su deseo, poco importaba, porque la culpa era suya.

La vida es terrible, pero ella no lo supo hasta el día nefasto de su primer beso, ese instante que dejaría una huella de oscuridad permanente en su alma. Pero no podía haberlo sabido antes, cómo hubiese podido enterarse de eso sumida en sus sueños de ojos abiertos, en los libros de su padre y en las historias de su abuela Estebana en la casa de los bambúes amarillos. No había forma. Y esa tarde, mientras miraba la figura escuálida de Ana Bulnes perdiéndose en la calle, haciéndose más pequeña a medida que se alejaba por una acera que parecía más larga de lo habitual, Magdalena supo que hay felicidades que no tienen regreso, y que los sueños de la juventud son como los amigos de la juventud, todos se van lejos y desaparecen. Pero ese tránsito que es la vida continúa, eso pensó ella, todavía optimista, y también pensó en Vicente, que a esa hora estaría esperándola, y quiso creer que en sus brazos todo sería hermoso, y no se equivocaba del todo, porque por un tiempo lo fue, pero ¿cómo podía imaginar entonces que, muchos años más tarde, una mujer desprovista de toda belleza y toda dulzura narraría estos hechos a la sombra con ojos que era su nieto, el que estaba sentado en el suelo de una habitación gélida al lado de una cama que despedía un olor ácido de residuos de orines, escuchándola con una fascinación sombría, de la misma forma en que ella había escuchado a su abuela Estebana, en una casa que era llamada *la de los bambúes amarillos*, pero que, con el tiempo, se había convertido en un simple recuerdo, pues había sido derribada para construir en aquel lugar un pequeño centro comercial donde unos vendedores regordetes anunciaban con voz chillona las ofertas de la semana? No podía saberlo. Y de haberlo sabido, seguro que se le hubiesen borrado los ojos con tanto llanto.

4

Con el tiempo, otros rumores llegaron a don Leocadio y le anunciaron que su hija Magdalena iba y venía de la casa de un hombre. No solo la señora Margarita habló de eso, también otras vecinas pusieron en evidencia a Magdalena. Además, la chica había adquirido otro aspecto. Ya no se parecía a la niña de hace unos meses.

—Papá, quería decirle que me voy a casar.

Al escucharla, el rostro de don Leocadio cambió del blanco a un colorado encendido, pero el hombre siguió cenando como si su hija no le hubiese dicho nada. Magdalena se levantó de la mesa y se marchó a su habitación. Nadie dijo nada sobre el anuncio durante un par de días. Una semana más tarde, un martes recordado por Magdalena con terror, le llegó la noticia de que sus hermanos habían ido a buscar a Vicente para arreglar cuentas. Alguien les había dicho cuál era la oficina donde trabajaba y hubo una pelea desigual y cobarde. Los tres lo esperaron en un parque cercano a su oficina. Cuando Vicente estaba llegando a su trabajo, le saltaron encima sin mediar palabra. El atacado no pudo defenderse, un par de patadas en las piernas lo doblaron, al tiempo que un puñetazo certero le abría el pómulo derecho. Una patada más, en la espalda, lo hizo caer al suelo. Vicente se protegió la cara con los brazos mientras los tres hombres siguieron golpeándolo: en el trasero, en la espalda... Uno le pateó dolorosamente en las costillas provocándole la fractura de un par de ellas, otro se agachó para gritarle al oído que no lo quería ver cerca de su hermana y el tercero le buscó el rostro y le lanzó puñetazos que se estrellaban en sus brazos. Todo sucedió en unos minutos y cuando en la oficina se dieron cuenta de lo que sucedía por los gritos de unas mujeres que al presenciar la escena salieron a ayudarlo, los agresores huyeron. Alguien subió en un coche al herido y lo llevó al hospital Rosales y alguien más se dirigió a una escuela sin nombre para avisar a su mujer. Cuando se lo dijeron, Magdalena pensó en los dientes. Fue la primera imagen que le vino: Vicente sin los dientes delanteros y esa sonrisa suya vuelta una mueca. Malditos, susurró Magdalena para sí mientras caminaba hasta el hospital. Malditos llamó a sus hermanos mientras hacía un enorme esfuerzo por no desear nada que fuera demasiado terrible. Pero lo que no pudo ni quiso evitar fue desear ver a sus tres hermanos perdiendo sus dientes, con las encías rosadas, húmedas y vacías. Los imaginó tirados en las entradas de las cantinas, pero no se atrevió a desearles nada más porque eran sus hermanos, y aunque nunca habían servido de nada en su casa más que para amargar existencias, continuaban siendo sus hermanos. No habían transcurrido ni seis meses desde el incidente con Vicente cuando al menor de los tres, Mario José, se le cayeron uno por uno ocho dientes, cuatro de arriba y cuatro de abajo, ni una sola muela, eso sí, porque todos fueron dientes de la parte frontal de la boca. Un mes más tarde le sucedió exactamente lo mismo a Alberto Antonio, el mediano, y algunas semanas después a José Ramón, el mayor de los tres. Cuando esto último sucedió, los tres consternados hermanos, sobre todo Ramón, que estaba a punto de casarse, se olvidaron de las ordenanzas cristianas que les había enseñado de niños su madre Estebana y su abuela Estebana Jesusa y se fueron a preguntar a doña Alicia si existía algo que ella pudiera hacer. En principio pensaron que estaban enfermos. Un vecino les había dicho que el escorbuto hacía que se cayeran los dientes, pero los hermanos no tenían síntomas de nada, ni fiebre, ni frío, ni hinchazones, ni pérdida del apetito. Así que no quedaba otra respuesta más que la que se habían negado a creer, que les habían hecho un mal. Y doña Alicia no hizo más que confirmárselo.

—Seguro que ustedes están pagando algo, por eso se les cayeron los dientes. Yo creo seguro que les han hecho un mal, y lo único que puedo hacer es darles algo para que no se les caigan los otros, pero hacer que los que se les cayeron se les peguen, eso sí que no puedo, porque ni el más brujo de los brujos se los pega.

Doña Alicia los bañó con uno de sus mejunjes, les pasó unas ramitas encima mientras recitaba unas oraciones en idiomas desconocidos y les dio unas bolsas con astillas de madera para que hicieran té. Les dijo que eran astillas de árboles mágicos: de fresnos, abedules, ceibas con más de quinientos años de antigüedad, o de pinos que crecían en partes inexploradas de las montañas, entre la niebla. Cuando salieron de aquel lugar, los tres estaban convencidos de que alguien les había hecho un mal. Y todos pensaron que tenía que ver con Vicente, pero no con Magdalena. Aunque ella no les dirigía la palabra desde el día del incidente, era su hermana y no se les pasó por la cabeza ni un instante que ella tuviera la culpa de lo que les pasaba. En cambio, lo de Vicente era seguro. Nadie lo conocía. De él solo se sabía que había venido de la selva de Panamá. Qué había hecho en aquel lugar o por qué había regresado era una incógnita. Lo envolvía un halo de misterio demasiado sospechoso. Y aunque no sabían si el brujo era el mismo Vicente o si le había pedido un trabajo a alguien más, no les cupo duda de que aquel mal había partido de él. Por más que lo detestaran, tenían que andarse con cuidado con ese hombre, aunque cada vez lo soportaban menos: Magdalena se había marchado con él a sabiendas de que estaba embarazada.

El día de la golpiza, Magdalena no quiso volver a su casa. Se fue primero al hospital y luego a casa de Vicente. Ya entonces sabía que estaba embarazada. Esa noche, mientras cavilaba sentada en la cama imaginándose con desprecio la escena del pleito, supo que no podía hacer otra cosa más que tomar una decisión conforme a lo que deseaba. Y eso hizo. Ni siquiera se molestó en ir a comunicarle a sus padres lo que había decidido, más bien arregló las cosas de Vicente, se tomó tiempo para pedir en el Ministerio de Educación un traspaso a una escuela lejos de la capital y empezó a preparar todo para marcharse. En menos de un mes estaban listos para irse. Vicente no dijo nada en absoluto. No tenía nada que decir ni quería decir nada, solo deseaba dejarse llevar por el impulso de esa muchacha impetuosa que lo cuidaba como jamás en su vida lo había cuidado nadie, ni su madre, ni las monjas con las que vivió en su niñez, ni ninguna de las personas que conoció cuando trabajaba en Panamá.

—Me salió un puesto en la escuela de Los Planes —le dijo Magda una noche —así que tienes que buscar dónde irnos a una casa por allí.

—Voy a buscar algo, pero dame un poco de tiempo.

—Tiempo es lo que no tenemos, así que habrá que hacerlo rápido.

Vicente buscó a su manera: se hizo habitual en él tomar un autobús hasta Los Planes, y, de tanto andar por ahí buscando, encontró esta casa y se mudaron a vivir en ella, rodeados de estos árboles —que entonces no eran tan sombríos como lo son ahora —y abrazados a esta niebla que mana de ellos como un abrigo lentísimo que nunca termina de llegar. Se fueron, pero, antes de irse, Magdalena llamó a la puerta de la casa de doña Margarita.

—Ajá —dijo doña Margarita cuando al abrir la puerta se encontró a Magdalena.

—Ajá nada, que me voy con mi marido, no con el mismo con el que usted me vio, me voy con uno de los tres que tengo, así que he venido a comunicárselo para que se lo cuente a mis padres, y ya que usted siempre les habla de todo, le dice esto también. Y una cosa más, deje de andar con tanto chisme porque un día de estos le vuelven a cagar la casa las palomas.

Dio la vuelta y se fue. Doña Margarita se quedó en su puerta, pávida, boquiabierta, pensando que era imposible que esa muchachita, Magdalena, hubiese sido la culpable del excremento de paloma de aquel día que ya casi había olvidado. Y en cuanto se repuso de la sorpresa, la señora fue a verter su veneno en los mismísimos oídos de don Leocadio, que entonces la escuchó impasible, los ojos fijos en los ojos llorosos de Estebana, mientras él pensaba: "Ya no vuelvo a leer un libro en mi vida; ya nadie va a volver a querer leerme uno". Pero eso no fue así, porque, si bien es cierto que pasó años sin leer nada, salvo algunas líneas que sus ojos cansados alcanzaban a descifrar, mucho después, cuando cayó en cama, enfermo por lo que los médicos del hospital Rosales dijeron que era cáncer, su hija Magdalena regresó adonde el padre un mes entero, dejando a sus niños, uno de ellos de amamantar, al cuidado de Vicente y de una sirvienta en la casa de Los Planes, y le leyó a su padre, esta vez, no solo durante las noches, sino también durante el día, y juntos navegaron por el Mississippi, salieron a pescar otra vez una ballena blanca, cabalgaron con los caballeros ingleses, libraron batallas con los ejércitos romanos y repelieron hordas de vikingos. Fueron veladas dulces, mágicas, sentados en una habitación que por la noche se llenaba del fulgor sacro de unas velas que iluminaban no solo sus rostros, sino también los rostros de los santos de las postales dispuestas por todo el lugar, y rodeados por el perfume de unas rosas que agonizaban en el jardín de la casa porque no había ya nadie que las cuidara.

El final vino en noviembre y los halló matizados por una luz que ese año fue clara y pastosa como si hubiese brotado de un campo de nieve.

Una noche, rodeado por su mujer, sus tres hijos varones y su hija, don Leocadio de Jesús retiró la mirada de sus pupilas y cerró sus ojos para siempre. Mientras, afuera, en el que había sido su jardín, las rosas mustias, envejecidas, sombrías, se convertían en una especie de niebla fría que subía al cielo lentamente, como vapor de sombra. Una luna redonda, llena y luminosa, esparcía su luz momentánea sobre unos jazmines salvajes que despedían un aroma que nadie supo distinguir, salvo Magda, que no lloraba entonces, más bien recordaba, abstraída de toda aquella escena, que había sido su padre quien le había dicho que los jazmines solo olían de noche. Pensaba en que ella jamás le había preguntado cuál era la razón o el significado de eso, y en que le hubiese gustado mucho hacerlo, para que él le diera su versión del asunto. Pero ya era tarde, porque su padre estaba ahí, frente a ella, pálido como un amanecer y tan muerto como sus propias rosas vueltas niebla y frío en su antiguo jardín.

LA HABITACIÓN

1

Al llegar encontraron un terreno descuidado, con la hierba alta y restos de basura desperdigados por todo el lugar y una habitación al fondo, un cuadrado de ladrillo visto, sin puerta, sin molduras en las ventanas, con el techo en forma de punta de lanza cubierto de tejas entre las que había brotado una planta de tallo delgado, textura espinosa, hojas diminutas y unas flores pequeñas, blancas y sin aroma. El suelo de la habitación era de tierra y aquel día, al entrar, Magdalena vio que una familia de ratones de campo había hecho su nido en la profundidad de una olla de barro a medio enterrar, y le preguntó a Vicente que si aquello iba en serio, si de verdad quería que vivieran en aquel lugar, y le dijo que lo primero que iba a hacer era echar a esos desgraciados ratones. Estuvieron allí apenas media hora y luego se fueron, pero ya para entonces ambos estaban convencidos de que querían vivir en aquel sitio. Les gustó el clima, que era templado todo el año; el silencio, porque entonces Los Planes no estaba tan poblado como lo está en estos días y las casas estaban a cierta distancia la una de la otra; pero sobre todo les gustó la vegetación: el terreno queda a solo unos pasos de la extensión boscosa que es el Parque Balboa.

El lugar estaba abandonado, pero tenía dueño. Cuando Vicente preguntó en la Alcaldía, le dijeron que la propietaria del terreno era una mujer que se llamaba doña Fausta Ramos, que vivía en tal lado de San Salvador y que fuera a verla, que a lo mejor ni se lo vendía, que a lo mejor hasta se lo regalaba, porque llevaba años abandonado. Vicente visitó a la señora Ramos una tarde después del trabajo y resultó que la mujer vivía sola, tenía ochenta y nueve años y apenas podía caminar. Doña Fausta le dijo que no tenía parientes cercanos y que se acordaba del terreno de Los Planes, que había sido de su marido, que su marido le había dejado la casa donde vivía y otros terrenos en Santa Ana y en Sonsonate, que también le había dejado otras casas para alquilarlas y que de eso vivía, que no había tocado casi nunca la cuenta que le dejó en el banco su difunto marido, que a saber a quién le iba a dejar ese dinero porque los sobrinos se habían olvidado de ella, pero que eso no se lo decía al abogado porque el hombre ese a lo mejor terminaba robándole. A Vicente le pidió mil pesos por el terreno y Vicente le dijo que era mucho, aunque realmente no lo era. Ella le propuso que le diera quinientos, que con quinientos pesos tenía, que de todas maneras no iba ni a tener tiempo de gastárselos y que ni necesitaba el dinero, pero que ella no tenía por qué regalarle nada a nadie, que a ella nadie le había dado nunca nada, solo su marido, que si su marido viviera y se lo pidiera, que a él sí se lo daba, pero como él no era su marido entonces no le iba a dar nada gratis. Acordaron verse tres días más tarde a la misma hora. Doña Fausta le dijo que su abogado iba a esperarle con la escritura y que si él de verdad tenía el dinero, como le había dicho, que volviera para hacer el trato. Tres días más tarde, Vicente compró el terreno.

Magda jamás se imaginó que su marido asalariado tuviera dinero para comprar una propiedad y construirse una casa. Durante el tiempo en el que estuvieron juntos como novios, él nunca le dijo nada acerca de su dinero, de cuánto era lo que había ahorrado, y ella nunca preguntó porque no tenía nada que preguntar. El abuelo Vicente trabajó en el Canal de Panamá durante varios años y, como no tenía ni mujeres ni vicios, ahorró cada centavo que pudo. A veces evitaba incluso cenar para guardarse el dinero, y tampoco gastaba en lavar su ropa, porque él era un hombre disciplinado, que hacía su colada y no necesitaba pagar por ello. Así, poco a poco, fue acumulando tanto que ella ni lo sabe, ni lo supo durante los años en los que fue su esposa.

Primero echaron abajo la casa construida en aquellos terrenos, toda menos la habitación al fondo, y luego hicieron la sala, más tarde un cuarto para ellos, grande y con baño, después un comedor amplio y luego una cocina y luego, junto a su dormitorio, hicieron otro baño y tres habitaciones más. Frente a la entrada de la casa sembraron unas flores que se llaman pancitos, una especie a medio camino entre las margaritas y los girasoles, de color amarillo encendido y aroma delicado, un tanto dulzón, que al abuelo Vicente le recordaba al jardín del convento donde vivió de niño por la sencilla razón de que buena parte de ese jardín estaba cubierto de pancitos.

Fue a finales de marzo cuando se mudaron a la casa. En esa época lo mejor llegaba al inicio de la noche, cuando Vicente regresaba del trabajo, preparaban la cena y comían a la luz de una lámpara que dejaban al centro de una pequeña mesa de madera. Ya había luz eléctrica entonces, pero ellos preferían la luz amarillenta de esa lámpara a gas que Vicente había comprado como una baratija antigua en uno de los almacenes del centro porque Magdalena se había enamorado de ella. ,

Alguna vez Magdalena le preguntó a su marido si todavía le quedaba algo de ese dinero que le había dicho que tenía ahorrado, y él le respondió que algo quedaba, entonces ella quiso saber si era mucho y él le dijo que mucho no era, pero que si necesitaba algo él podría ver qué hacía, entonces ella le dijo que estaba embarazada otra vez. Eso también sucedió en marzo y unos seis meses más tarde, mientras cenaban, fue la primera vez que Magdalena le habló a su marido sobre la magia que dice poseer. Estaban terminando de cenar, afuera estaba cayendo una tormenta terrible y el abuelo Vicente le hablaba sobre las cocineras del colegio donde había vivido cuando niño y los flanes de vainilla que le habían enseñado a hacer. Entonces ella lo interrumpió.

—Tengo un problema —le dijo —.Y es serio.

Vicente dejó el bocado de plátano que estaba a punto de engullir en el plato. El tono de su mujer le sorprendió. La oscuridad en la voz. La miró y esperó a que ella hablara otra vez, que dijera lo que tenía que decirle.

—Hoy me he enterado de que a José Ramón le pusieron unos dientes postizos hace como una semana. Unos dientes de oro. Y también me he enterado de que se le han caído. Le pusieron los ocho que le faltaban y se les cayeron los ocho la misma noche.

Vicente permaneció en silencio escuchando lo que su mujer tenía que decirle. Sin embargo, se apaciguó un poco porque, aunque le pareció algo digno de compasión lo de los dientes, no vio cómo eso le iba a causar problema alguno a su mujer.

—¿Te acuerdas cuando se le cayeron los dientes a José Ramón la primera vez?

—No sé, ni me importa.

—Se le cayeron hace casi dos años, un poquito antes de casarse, después de que se le cayeran a Alberto y a Mario José.

Vicente seguía esperando que su mujer le dijera algo que valiera la pena. Nunca imaginó sus palabras siguientes:

—Es por mi culpa. Que se les caigan los dientes es culpa mía y son mis hermanos. ¿Me entiendes?

—No, no te entiendo, no entiendo qué tienes tú que ver con eso.

—Yo quise que se les cayeran y se les cayeron.

—¿Fuiste adonde alguien para que les hiciera algo?

—No. No es eso.

—¿Y entonces qué es?

—Es lo que te digo. Se les cayeron porque yo quise.

—Si les pasa encima un tren a los imbéciles esos es por mi culpa entonces, porque fue lo menos que les deseé.

144

—Es que no es eso, hay una cosa que te voy a contar, a ver si me crees...

Entonces Magdalena le contó a su marido lo del excremento de palomas y lo de la loca Pizpireta y algunas otras cosas más hasta llegar a lo de sus hermanos. Le confesó que cuando lo habían golpeado ella les deseó ese mal y el mal se había cumplido. Que los había condenado a esa ridícula fealdad de por vida. Que se sentía culpable por eso y que no tenía paz.

—Tú eres una mujer buena. Buena. Trabajadora. Llena de amor. No veo el mal en ti, no lo veo ni por un instante.

—Pero está —dijo ella, solemne.

—Está lo que tú dices, porque yo sí te creo, creo que tienes eso en ti, esa magia, pero es injusto.

—Yo no lo sé.

—¿Cómo no vas a saber? Tu alma es buena, yo lo sé, yo lo siento, y tu cuerpo también, y tu espíritu, las tres cosas, por eso te digo que es injusto lo que te pasa, porque ¿quién no ha deseado alguna vez algo terrible, que al hijodeputa que nos hizo esto le pase esto otro? ¿Quién no ha sentido eso?

—Pero si yo lo siento pasa y que pase es espantoso. No sabes cuántas veces me he tenido que reprimir cosas o vivir con ese miedo.

—¿Con el miedo de no desearle mal a nadie?

—Pues sí.

—Es ridículo. Y además es injusto…

—Pero, ¿qué injusto, quién?... ¿Dios?

—No voy a decir nada de eso, solo digo que es injusto que te pase eso. Magdalena, todos deseamos esas cosas y después se nos pasa y quedamos tranquilos.

—Pero yo no puedo darme ese lujo.

—¿Por qué quisiste contármelo? Me estoy preguntando eso.

—Por los niños. No quería tener otro hijo contigo y que no supieras quién soy, yo quería decírtelo, quería estar en paz, pero no puedo estar en paz, me da una gran lástima mi hermano por muy idiota que haya sido. Me siento mala,

Vicente… mala. ¿Sabes lo que es sentirse mala? No, no lo sabes y ni te lo imaginas.

—Si es así como dices, tú no tienes la culpa. No te voy a decir más de esto, pero que quede clara una cosa: tú no tienes la culpa. ¿Verdad que no tienes la culpa?

—No sé.

—No, sí sabes, sí sabes que no tienes la culpa. Dímelo...

—No sé, quizás no tengo la culpa, pero no quiero decirte cosas que no creo.

—No la tienes, yo sé que no la tienes. Confía en lo que te digo, tú solo eres una víctima de las circunstancias, pero nada más. Absolutamente nada más.

2

Cuando nació el primero de los hijos, vino a esta casa doña Úrsula, que es la esposa de don Fausto y madre de Gabrielito, Teresita y Maribel. La señora le llevó una sopa de pollo a la recién parida. Cuenta Magdalena que ese día almorzaron mientras el bebé dormía y hablaron de los trabajos de los maridos, cosas de señoras, y noto cierto desprecio en ese comentario. También me dice que doña Úrsula siempre tuvo demasiadas cosas de señora, que se refería al marido llamándole Él, tengo que hacerle la cena a Él, Él me dice que no vaya al parque después de las cinco, a Él no le gusta ir a misa. Pero me asegura que, a pesar de sus cosas de señora, le tiene aprecio y hasta cariño. Don Fausto bebía mucho. Y ella lo defendía, solía decir que Él se tomaba viernes, sábado y domingo diez o doce cervezas cada día, pero que no causaba problemas. Una vez alcoholizado, se quedaba dormido, y, además, casi nunca bebía entre semana y era raro que le levantara la voz o la agrediera físicamente.

El día en que se conocieron, doña Úrsula le dijo a Magda que estaba embarazada de dos meses y medio y que una comadre un poco bruja le había dicho que iba a ser niño. También le dijo que se pasaría a verla por la tarde, para ayudarla un poco en las cosas de la casa, y Magdalena le aseguró que no hacía falta, que su madre había ido a estar con ella, pero que si de todos modos quería tomar café con pan, que eso sí estaba bien. Al día siguiente, doña Úrsula llegó con un tarro con sopa para tres para convidar a la madre de Magda, la bisabuela, esa señora de la cual se conserva una sola fotografía demasiado sepia, donde ella está de frente, sin sonreír, un tapado blanco envolviéndole la cabeza, los ojos tristes. Una sola imagen pegada en el viejo álbum de fotografías. Me la mostró cuando yo era un niño. Mientras me tomaba un vaso de leche, puso el enorme armatoste de tapas de color café y me dijo que me iba a enseñar cómo era su madre, que había nacido a finales del siglo XIX y que en esa época no había ni televisión ni películas a colores, que cuando ella nació las calles eran de piedra y los faroles de las calles eran de gas y un hombre tenía que pasar encendiéndolos al final de la tarde y apagándolos al principio de la mañana, eso me contó ese día y me descubrió el álbum lleno de fotos de personas que no significaban nada para mí, pero ella se conmovía al observarlas mientras me hacía saber que este era el hijo de la señora tal y este otro era su primo hijo del tío no sé quién y esta otra era la sobrina y esta otra más la esposa de uno de sus hermanos. Pero mucho antes de ese día, cuando la bisabuela no era solo un recuerdo sepia, doña Úrsula llegó con la sopa para tres, una sopa espesa de res con vegetales que tomaron con algo de zumo de limón y unas gotas de chile. Por la tarde, doña Úrsula volvió con tres pedazos de cemita, la bisabuela hizo café y se sentaron en la cama, junto a la recién parida que daba de mamar a su niño rosado, bello como ella creía que eran todos los bebés, y hablaron de los maridos, de don Leocadio, que ya estaba enfermo, y del que la bisabuela contó que había sido severo con los hijos pero que con ella había sido fiel, y que las mujeres saben cuándo esas cosas son así, a lo que doña Úrsula le dio la razón confesándoles que ella sabía bien cuándo su Fausto andaba con otra mujer, que había tenido dos según sus cuentas, pero que había pasado rápido, que su Fausto no era tan terrible como otros hombres y que ella no era tan bruta como otras mujeres que se peleaban por estas cosas con los maridos, que ella había sido inteligente y le había dejado hacer lo que quisiera y por eso el hombre no se le iba a ir nunca, y luego le preguntó a Magdalena por Vicente y ella les dijo que era cierto, que una sabía, pero que Vicente era un poco raro, es decir, que era fiel, hasta donde ella podía sentir. Luego hablaron sobre el coche de Vicente, y de cómo había hecho para comprarlo, nuevo y tan bonito, y Magdalena les dijo que él había ahorrado muchos años, cuando trabajó en Panamá, y que por eso pudo permitírselo, y cuando doña Úrsula, más tarde en la conversación, quiso saber cuánto dinero tenía ahorrado Vicente, porque su marido tenía una cuenta con casi dos mil pesos en el banco, Magdalena les dijo la verdad: que no sabía porque aunque ella le había preguntado, él no se lo había dicho.

Al poco tiempo, nació el primer hijo de doña Úrsula: Gabriel. Entonces fue Magdalena la que preparó sopa de pollo con vegetales, cebolla, apio, patatas, muchas zanahorias partidas en juliana y algo de crema al final, se fue a su casa y hablaron sobre sus maridos de nuevo, de que don Fausto estaba feliz porque su primogénito había sido varón y de que se había emborrachado con el compadre Luis Esteban, de que había vaciado la pila del patio y que la había llenado con hielo y cervezas. Ella estaba orgullosa de la celebración del marido. Orgullosa de haber tenido un hijo varón. Y orgullosa de que su marido estuviese tan feliz. También aseguró que al niño le habían puesto de nombre Gabriel por el arcángel, porque su marido y ella eran religiosos.

Dice Magdalena que para ella doña Úrsula siempre tuvo olor a talco de bebé. Me asegura que no era solo por los niños, por los que ambas tuvieron, que ese olor se le quedó para siempre, y me invita a que me fije, a que pase un día junto a doña Úrsula y luego le cuente a qué huele, y yo le digo que ya lo he hecho y que tiene razón, que la señora huele a talco de niño y que a mí me da un poco de asco el talco de niño. Pero le miento. Doña Úrsula no huele a eso, simplemente no huele a nada, o quizá sí huele a algo, pero será a crema para después del baño o a perfume de almacén barato, no lo sé. Una vez pasé junto a ella y olía a cerveza y pensé que quizá don Fausto había bebido, porque era sábado.

También dice la abuela que un sábado por la noche, después de cenar, el abuelo Vicente la sorprendió con una pregunta:

— ¿Alguna vez me has deseado mal? ¿Aunque sea poca cosa?

—Nunca —respondió ella, dos veces —Nunca.

Para entonces, Magdalena estaba embarazada por tercera vez y llevaba siete meses en estado.

—¿Qué te pasa? —preguntó Magdalena a su marido.

—Estaba pensando, solo era eso.

—Pero ¿por qué me preguntas algo así?

—Es que estaba pensando, ya te lo he dicho... Lo que pasa es que estaba pensando que las cosas esas no siempre tienen que ser grandes cosas, me imagino que si deseas algo pequeño también se cumple.

—¿Tú crees que no hay cucarachas en esta casa porque a mí me dieron ganas de que se murieran todas?

—No he dicho eso.

—Ya sé que no has dicho eso, has dicho algo peor.

—Solo te he preguntado algo por curiosidad, no tenía mala intención.

—¿Tienes miedo?

—No te lo tomes así.

—No, no te lo tomes tú así, esto no es un juego. ¿Es que no lo ves? Esta cosa está dentro de mí y yo no la pedí pero ahí está, ahí está y es real y así como la malignidad es real, esto es real, y tú crees que lo uso para divertirme ¿Qué piensas, que digo que a Vicente le den ganas de ir al baño ahora que va conduciendo el coche y que se cague en los pantalones?

Vicente sonrió.

—O mejor —siguió Magdalena —, que deseo que si tienes una amante en el trabajo a ella le venga la menstruación cuando se vayan a ir a acostar y le viene, solo para joderlos a los dos ¿Eso piensas?

—Pero qué dices.

—Qué digo, sí.

—Solo era una pregunta, una pregunta simple y de pronto armas un lío terrible por algo tan insignificante.

—¿Insignificante? ¿De verdad crees que es insignificante para mí? Mira qué insignificante, qué pura mierda me acabas de hacer sentir, qué pura mierda.

—Magdalena —dijo él, afligido.

—Magdalena nada, no vuelvas a decirme algo así, respeta lo que te digo, mi sufrimiento, porque, aunque no lo creas, es un sufrimiento vivir todos los días con este miedo tan grande de que puedo hacerle mal a la gente y que hice daño a mis propios hermanos y que a lo mejor hasta maté a una desgraciada.

Por los gritos, los dos niños se despertaron y el más pequeño empezó a llorar. Magdalena se levantó y fue al cuarto de sus hijos. Vicente se quedó sentado a la mesa. Era casi medianoche cuando Magdalena volvió del dormitorio de los niños a su habitación. Era una noche fría, ventosa. Hacía unas horas había llovido e iba a llover otra vez. Las ventanas de la habitación estaban abiertas y las cortinas descorridas. Vicente estaba tirado en la cama y la luz de la lámpara apenas lo iluminaba. Magdalena se acostó junto a él, lo abrazó, lo rodeó con sus brazos y las piernas y le dijo:

—Prométeme una cosa, pero prométemela.

—¿Qué?

—Prométeme que nunca vas a hacer que me enfade contigo.

—¿Cómo te voy a prometer eso?

—No me refiero a un simple enfado. Lo que quiero decir es que nunca vas a hacer algo tan terrible como para que yo sienta cosas. Es que no sabes el miedo que he tenido de eso desde que te encontré.

—¿El miedo de hacerme algo sin querer?

—Tengo miedo de que un día me enfade como todo el mundo se enfada, como cualquier mujer, y quiera que te vayas, que lo desee aunque sea por un instante, pero que ese instante maldito te aleje de mí. Ese es mi miedo más grande.

Magdalena una vez deseó que su marido se fuera. Eso sucedió hace unos años y para entonces sus hijos ya se habían marchado y él estaba enfermo. El abuelo Vicente enfermó de dos cosas: un cáncer le devoró el estómago los últimos meses de su vida y la artritis le desfiguró las piernas, los brazos y sobre todo las manos. Llegó un momento en el que tuvo que echarse en una cama y no hacer nada más que sufrir y esperar hasta convertirse en algo muy alejado a un hombre, y ella no quería verlo en ese estado, desencajado por el dolor, inútil, envejeciendo prematuramente a través de una larga agonía, y por eso deseó con todas sus fuerzas que se fuera, que dejara la vida de una vez, pero lo que Magdalena no alcanzó a comprender entonces fue que aquel no era un deseo maligno sino piadoso, un acto de verdadero amor, y por eso no se cumplió y el abuelo Vicente pasó meses y meses sobrepasado por el dolor, perdido en esa habitación olorosa a ungüentos y medicinas y restos de comida y sudor y aliento enfermo y malsano.

—Le prometo pedirle a Dios todo lo que pueda para que nunca nos separemos, eso te puedo prometer.

—Entonces yo te prometo pedirle mucho a Dios para que nunca me separe de ti.

Era una noche gélida, pero las ventanas estaban abiertas y las cortinas descorridas. Cuando empezó a llover, Vicente se levantó para cerrar todo.

—Abrígate bien —le dijo a su mujer, y su mujer le hizo caso: se echó un edredón encima y dejó espacio para él y él entró en el edredón y se quedó dormido junto a ella, los dos muy juntos, vueltos un solo aroma, una respiración, una sola humedad, una sola tibieza.

3

La primera palabra que dijo fue *mama*, sin tilde, y también fue la última. Magdalena relata que ella lo escuchó esa noche, la noche fatídica en la que se murieron sus cinco hijos y un yerno al que llamaba su primogénito, el tío Joaquín. Escuchó que decía *mama*, sin tilde, como cuando era un bebé, y se le erizó el vello de los brazos. Sintió una angustia terrible en el pecho, pero le pasó rápido porque quiso creer que no era nada. Su segundo hijo, el tío Mario, dijo su primera palabra poco antes de cumplir un año: *ango*. La pronunció dos veces y Magdalena se quedó atónita porque en aquel momento se estaba comiendo un mango. Sus hijas, las gemelas, mi madre y mi tía, más que hablar, mascullaban un lenguaje ininteligible desde la época en la que eran bebés. Magdalena creyó siempre que sus hijas tenían un lenguaje verdadero y secreto. Vicente también lo notó y alguna vez los dos lo habían mencionado brevemente. Cuando me cuenta esto, me pide que salga de la habitación donde estamos, vaya al patio y vea los nombres que escribieron en el muro, uno sobre otro, Eva sobre Blanca, hasta perderse por el borde, y yo le digo que los he visto y ella me dice que aquello era un secreto de ellas que nunca le habían revelado a nadie, que a Prudencia sí se lo confesaron una vez pero que ella se enteró de lo que significaban esos nombres demasiado tarde para preguntarles, que tuvo que venir un amigo, después de muertas, a contarle qué hacían esos nombres ahí.

—¿Y cómo fue eso? —, le pregunto, interesado por saber de mi madre.

—Esa es una historia que nadie me creería. Quizá ni yo misma la creo y tú menos. Tú no me crees nada.

—Pero a ver, prueba, cuéntame algo —le pido.

Existen dos versiones de por qué está más alto el nombre de mi madre. La primera es muy simple: porque ella volaba más alto. La segunda es casi igual de simple: porque está al borde del muro y mi tía no tuvo más espacio para escribir más alto. Pero Magdalena no supo nunca cuál era la razón real de eso. Ni siquiera se enteró de la extraña habilidad de sus hijas hasta semanas después de que estas murieron. Así que solo podíamos especular al respecto. Tenían casi seis años cuando descubrieron que podían volar, aunque lo hacían desde mucho antes. Una de ellas voló una tarde desde su cama a la cama de sus padres, en la habitación de al lado. A la mañana siguiente, al pensar en eso, creyó que había sido un sueño. Lo mismo le ocurrió durante varios días, siempre que volaba, al día siguiente, creía que había sido un sueño. Lo que no sabía era que su hermana gemela pasaba por lo mismo. Así llegó un día en que una le contó a la otra su sueño recurrente y descubrieron que no era un sueño sino una realidad. Entonces decidieron probar una vez más: acordaron volar desde la sala de estar hasta la cocina. A la mañana siguiente estaban felices porque sabían que no había sido un sueño y que podían seguir volando a sus anchas de la mesa del comedor al lavadero del patio, de su cama a la cocina, de la cocina al árbol de mango, del sillón del salón a la cama de los padres. Otro día conversaron sobre la primera vez que jugaron a volar. Ninguna de las dos supo cómo había sido ni cuándo. Tendrían que pasar muchos años para que lo recordaran. Pero entonces supusieron que no tenía la menor importancia.

Pasaron dos años y las niñas fueron al colegio y a nadie quisieron hablarle de su habilidad, la guardaron para ellas como un secreto. Pasó el tiempo y llegó una mañana en que, casi sin darse cuenta, tenían nueve años, y una le dijo a la otra que hacía ya muchos meses que no volaban, que tenía miedo de no poder hacerlo, y la otra le dijo lo mismo. Decidieron probar. Entonces subieron a la mesa del comedor y acordaron ir a la cocina. No hubo problema. Se cogieron de las manos, se impulsaron, saltaron y volaron dulcemente, como lo hacen las gaviotas sobre la playa, de la mesa del comedor a la cocina, pasando primero por el salón, sobre los sillones y las esquineras con floreros, y entre de las cortinas hasta llegar a la cocina, donde bajaron para tomar aliento. Luego volaron hasta el árbol de mango, hasta la habitación de los hermanos en el patio, hasta las camas dispuestas una junto a la otra en su propia habitación. Y pasó el tiempo otra vez y una mañana se dieron cuenta de que tenían casi trece años y que hacía unos once o doce meses que no jugaban a volar, y una le dijo a la otra que tenía miedo de no poder hacerlo, y la otra le dijo que no tuviera miedo, que lo intentaran, que vería cómo podían hacerlo fácilmente. Entonces decidieron volar desde la habitación de los padres hasta el salón, que era un trayecto corto solo para probar que podían, y la prueba fue satisfactoria, tanto que luego realizaron sus antiguos vuelos y fueron del salón a la cocina y de la cocina al patio y del patio al comedor. Entonces mi tía tuvo la curiosidad de saber quién podía volar más alto por más tiempo, tomó un plumón negro de los que había en el colegio, saltó hasta el muro del patio y se sostuvo en el aire el tiempo suficiente para escribir su nombre. Lo hizo dos veces. Luego, mi madre, que se había negado al principio, la siguió. El tercer nombre fue el de mi madre, el cuarto y quinto el de mi tía, el sexto el de mi madre otra vez y el séptimo el de su hermana. El muro se acababa, pero mi madre voló tan alto como nunca, tanto que la cabeza le quedó fuera del muro, como si se hubiera subido en una escalera. Entonces escribió su nombre justo en el borde.

Años más tarde, durante una velada en casa de unos amigos, las dos contarían esta historia. La tía dijo que todo había empezado por un cuento y mi madre le dijo que estaba asombrada porque recordaba exactamente lo mismo. Según relató mi tía, su historia comenzó un día cualquiera de octubre y que doña Prudencia, la mujer que las cuidaba, había preparado arroz con leche y había sentado a los niños alrededor de ella para contarles cuentos de miedo, que eran sus preferidos. Fueron tres cuentos. El último hablaba sobre un hada que había hecho que los niños olvidaran volar. Los niños saben volar desde que nacen, les había dicho la mujer, lo que pasa es que un hada que vive en un país muy lejano y oscuro los hechizó para que perdieran la memoria y no recordaran que pueden volar, por eso parece que solo las aves pueden hacerlo, pero eso es mentira. El cuento les fue contado a todos, pero los niños estaban distraídos y fueron las niñas las que se lo tomaron, también por su edad, de la manera más natural y seria que sabían. Más tarde, cada una por su lado, decidió jugar a volar. Las dos hermanas les contaron también a sus amigos que, cuando tenían dieciséis años, una le dijo a la otra que probaran, y probaron, se subieron a la mesa del comedor y dudaron mucho si tirarse o no, y tanto dudaron que decidieron coger unas colchonetas del cuarto de sus hermanos y las pusieron al borde de la mesa, por si ocurría cualquier accidente. Entonces estiraron los brazos y se lanzaron al vacío, pero, tristemente, cayeron al instante sobre las colchonetas.

Y jamás volvieron a intentarlo otra vez.

La abuela Magdalena nunca las había visto volar y se había enterado de todo porque un muchacho llamado Pablo Mario había ido a verla días después de la muerte de mi tía y mi madre y había hablado con ella de sus hijos, y entonces, entre sorbo y sorbo de una taza de café, le dijo que sus hijas eran muy especiales, y que esa noche, la noche de la tragedia, les habían contado la historia más extraña y hermosa que había oído en su vida, la de unas niñas que sabían volar.

4

Cuando las gemelas cumplieron dos años, Magdalena le dijo a su marido que quería volver a trabajar, que estaba cansada de pasar en la casa día y noche y que le hacía falta una ocupación, que quería dar clases otra vez. Para entonces, el único cometido que había tenido Magda en varios años había sido el de criar a sus hijos. Pensar que tenía que pasar el resto de su vida haciendo las tareas del hogar le producía una enorme desolación. Vicente le dio su aprobación, pero le dijo que necesitarían una persona que se ocupara de la casa, y que tendría que arreglar el cuarto viejo que estaba al otro lado del patio para una sirvienta. Ella le pidió que lo hiciera cuanto antes.

El cuarto viejo era la habitación que se encontraron cuando llegaron por primera vez. Estaba casi igual, salvo por los ratones de campo, que Vicente había echado. Quedaba más allá del árbol de mango, en el patio, a unos metros de la casa, y antes de convertirse en esta habitación oscura, sombría, donde flota este aroma rancio a enfermedad que ella dice que es el tufo de la niebla, era un lugar luminoso donde se alojaron, no una sirvienta, como al principio habían pensado, sino los tres hijos varones, que vieron como una aventura eso de vivir en un cuarto fuera de la casa.

—Mira, papá —le dijo Mario —, ¿y si a la señora que va a venir a cuidar a las niñas le damos nosotros nuestro cuarto y nos quedamos con este?

—Sí, papá —le dijo Joaquín —, esta habitación es más grande que la nuestra.

—¿Y no os va a dar miedo?

—No —dijeron los niños a coro.

—No, papá, ¿cómo puedes pensar eso? —dijo José Luis.

—¿Miedo de qué? —preguntó Joaquín.

Entonces llegó Magda a enseñarle la habitación a doña Úrsula. Ya estaba casi lista: el suelo enladrillado, la ventana con sus cristales y su cortina, las tejas cambiadas por otras nuevas, se había techado con madera barnizada y en el baño habían instalado un nuevo retrete, un lavabo, y sobre él, un espejo.

—Falta pintarla —dijo Magdalena, dirigiéndose a doña Úrsula.

—Pero así está bien. Les ha quedado bonita. Este Vicente tiene sus cosas, mire qué bien ha dejado este cuarto.

—No fue nada —dijo Vicente —. Solo necesitaba unos retoques.

—Fausto también es así —dijo doña Úrsula —, cuando se nos estropeó la refrigeradora no quiso mandarla arreglar, él le metió mano y la reparó.

—¿Y no le ha fallado? —preguntó Magda.

—Qué va a fallar —dijo doña Úrsula, orgullosa —, si ese marido mío es bueno para esas cosas, y Gabrielito me ha salido igual a su padre, si vieran lo curioso que es.

—Me imagino —dijo Vicente, solo por decirlo.

—¿Y este cuarto es para la sirvienta?

—Iba a ser para la sirvienta —dijo Vicente —, pero estos bichos se van a trasladar aquí los tres. Se las quieren dar de independientes.

—¿No les va a dar miedo por la noche? —preguntó doña Úrsula.

—Eso mismo dije yo.

Dice Magdalena que sus hijos no eran miedosos y que

por eso ese mismo día pasaron sus cosas a su nueva habitación. Y que esa noche Vicente habló sobre algo de lo que ella no quería hablar más, pero que entonces supo que iba a ser inevitable.

—Le puedes pedir a Dios que te limpie el alma y te dé paz.

—Paz no voy a tener —dijo Magda —. Ya hice lo que hice y me arrepiento de haberlo hecho, pero eso ya no importa porque ya pasó, y no puedo hacer nada para cambiarlo. Se va a quedar así hasta el final.

—Lo que yo creo es que te mortificas.

—No me mortifico de nada, pero mis hermanos están fastidiados y yo no puedo hacer nada para cambiarlo. Parecen muecas y es culpa mía, y eso sí que es malignidad: desear el sufrimiento del otro solo para aliviar nuestro propio sufrimiento, aunque sea inevitable.

—Yo lo que creo es que eres una dramática. Cuando eso pasó perdiste el control y eso es algo que a todos nos pasa. Todos tenemos ideas terribles cuando sucede algo así, pero nos dura cinco minutos y luego ya se van. Tú actuaste como cualquiera lo habría hecho.

—Pero el problema conmigo es que tengo otra responsabilidad. No podía sentir eso.

—Es que a eso voy, es imposible no sentirlo. La gente no es mala ¿o sí?

—Es distinto.

—¿Es malvado o no?

—No.

—¿Y por qué tendrías que serlo tú si solo sentiste igual que todos?

—Porque tengo el mal dentro y quise usarlo y lo usé. Y no debería querer.

—Aunque me arrepienta lo que me queda de vida, lo que hice es espantoso. Y maligno. Y no dramatizo nada. No seas ingenuo ni creas que con eso que me dices se me va a ir lo que siento. Eso no es así. Siempre me voy a sentir mal por eso, aunque haya tenido razón.

Ella se sentía oscura entonces y más oscura ahora. En ocasiones, cuando podía, salía a caminar por el bosque, miraba la niebla, sentía la curiosidad de entrar en ella como si alguien estuviera esperándola, como si alguien estuviera en medio de esa región empecinada con la oscuridad aguardando para revelarle un secreto, pero nunca se atrevió. Alguna vez creyó atisbar a lo lejos la figura de una mujer y una niña que andaban por ese bosque, muy cerca de un edificio abandonado, aunque no sintió temor alguno. Días más tarde, cuando pensando en ello se dio cuenta de que no había sentido temor, tuvo un pánico atroz pues pensó que su falta de miedo bien podría indicar que estaba destinada a adentrarse en esa oscuridad y no quería eso, no lo deseó nunca mientras estuvo con sus hijos, adentrarse en esa negrura que sabía estaba en ella, porque ella misma era un bosque donde evitaba entrar. En algún sitio su alma se convertía en un lugar de árboles oscuros.

—En esos días —dice la abuela mientras observa las sombras al fondo de la habitación— tenía miedo de andar por ese bosque y no encontrar el camino de regreso. Ese bosque es la oscuridad y en esa oscuridad no puede haber nada hermoso, no puede existir el olor de los jazmines porque en ella solo flota el olor de la niebla. Si has aprendido a olerlo sabes que eso es a lo que huele. Y eso bien lo sabía tu abuelo Vicente, por eso me agarraba bien fuerte la mano y rezaba por mí. Él fue el que me enseñó a rezar por mí. Él me sacó de ese bosque espantoso cuando pasó la desgracia de mis hijos, porque eso sí fue terrible, y no dejó que me perdiera, me enseñó a ver la colina llena de luz. Por eso cuando él se fue me quedé muda y ciega y todo se perdió. ¿Te das cuenta de que estoy muda y ciega?

—A veces.

—No te voy a decir que no me pesa, me siento triste, pero no es culpa mía.

—El abuelo Vicente le diría lo mismo.

—Él sí, pero tú no, tú no me crees, tú crees otra cosa.

—Yo no creo nada malo de usted.

—Tú me escuchas pero no me crees, pero no me importa que no creas lo que te cuento, yo te lo cuento porque lo necesitas. Un día sabrás por qué.

Esa noche recé por ella. No sabía exactamente qué decir, qué palabras usar para eso, pero recé por ella porque no me atreví a no hacerlo, y poco importaba que creyera o no su relato. Me obligué a pensar que así era. Por alguna razón, que siempre me va a parecer incomprensible, estoy seguro de que así fue.

VIENTO DEL NORTE

1

Llegó en octubre, con los primeros vientos. Llevaba una maleta fea, celeste, sucia, donde guardaba sus pertenencias. Dos vestidos largos y negros, dos blusas blancas, lisas, y varios retratos, todos ellos de hombres que habían pasado por su vida ya hacía demasiado tiempo. Entonces no llegaba a los cincuenta años y su pelo era negro salvo por alguna cana de vez en cuando. Aquel día los tíos estaban tratando de elevar una cometa y no podían hacerlo. Ella les dijo que el viento no era propicio, que esperaran un rato porque estaba por venir viento del norte y que entonces volarla no sería problema.

—¿Y como cuánto hay que esperar? —preguntó Joaquín.

—Como media hora —respondió ella.

—¿No cree que si nos subimos a la loma podremos? —preguntó Mario.

—No creo, ya verás que no se va a poder, para eso se necesita viento.

—Y usted ¿cómo sabe que va a haber viento dentro de media hora? —preguntó José Luis.

—Por los árboles —dijo ella.

—¿Cómo que por los árboles? —preguntó Mario.

—Porque los árboles dicen que va a haber viento más tarde. ¿Seguro que saben escuchar a los árboles?

—¡¡¡No!!! —dijeron todos.

Ella se sentó en el suelo y los niños la rodearon. Les habló sobre cómo había aprendido a entender lo que decían los árboles y lo que susurraba la brisa y por qué hacía viento fuerte a veces y otras no.

—Es que antes la gente sabía estas cosas —les aseguró — ahora la gente ya no sabe nada y cree que todo esto es cosa de magia.

—¿Y no es magia?

—No, esto no es magia, es solo saber las cosas. Escuchen los árboles, las ramas, buuu, buuuuuuuuuu, algo así dicen y cuando dicen eso es que están llamando al viento, buuuu, y el viento siempre les hace caso, así que ya va a haber viento, buuu.

Y hubo viento, más o menos media hora más tarde, y los niños encumbraron la cometa y ella los observó mientras lo hacían. Era una cometa roja con flecos blancos de papel. Ella les dijo que le gustaban mucho las cometas, que, cuando era niña, su padre le había enseñado a volarlas. Los niños le contaron que su padre era quien les hacía las cometas, y que los domingos él se encargaba de hacerlas volar, pero que como era día de semana estaba en el trabajo y por eso estaban solos. Ella les dijo entonces que tenía que irse, pero que no se iba lejos, que se verían pronto, y entonces caminó, los niños le dijeron adiós sin mirarla, pues estaban clavados en el cielo, con su cometa, y ella no anduvo demasiado, tocó la puerta de una casa una cuadra más adelante.

—Buenas —saludó ella.

—Buenas —dijo la mujer que salió a recibirla.

—Busco a doña Magdalena.

—Sí, ¿qué deseaba?

—Me dijeron que necesitaba a alguien para cuidar unos niños.

—Pero ¿quién le dijo que iba a buscar a alguien? —preguntó Magdalena.

—Si se lo digo no me va a creer.

—Mejor dígame porque ya me está metiendo miedo.

—No, no desconfíe de mí, que no tiene por qué.

—Si no es que desconfíe de usted, lo que pasa es que eso solo lo comenté con mi marido y no le había dicho nada a nadie todavía. Bueno, ¿la mandó la niña Úrsula?

—No sé quién es esa señora.

—¿Entonces, cómo lo supo?

—Es que yo soñé con usted anoche y por eso vine.

Eso cuenta la señora Magdalena que le dijo doña Prudencia. También que fue la mujer más auténticamente maravillosa que ha conocido en su vida, y que la extraña más que nunca. Doña Prudencia no tenía líneas en las manos, pero eso no era necesario que mi abuela me lo dijera, porque yo mismo observé y palpé esas manos, las palmas lisas, tibias, un poco húmedas.

—Su destino no era suyo —dice Magdalena dando un sorbo de té de manzanilla —. Su vida era de otra gente, de la gente con la que trabajaba, de la gente que cuidaba, ella no tenía destino propio.

Cuando, al final de la tarde, Vicente regresó a casa después del trabajo, encontró a las dos mujeres hablando como si fuesen grandes amigas que acababan de verse después de mucho tiempo. Estaban en la cocina, preparando los frijoles y los plátanos para la cena.

—Buenas tardes.

—Buenas tardes, señor —respondió doña Prudencia.

—Mira Vicente, ella es la señora Prudencia y se va a quedar con nosotros para cuidar a las niñas.

—¡Ah, vaya!

—Doña Úrsula me la recomendó —mintió Magda.

—Está bien —dijo él, que no tenía nada que decir —. ¿Ya le has enseñado el cuarto donde se va a quedar?

—Sí, ya me lo ha mostrado —dijo Prudencia —, ya hasta he dejado allí mis cosas.

—Perfecto.

Vicente dejó a las mujeres en la cocina y se fue a leer el periódico a la mecedora del salón. Prudencia acababa de instalarse en sus vidas.

2

Dice Magdalena que yo me perdí todo lo bueno. Que Navidad ya era una cosa del pasado en esa casa. Yo le aseguro que siempre lo pasé lo mejor que pude en esas fechas y ella me dice que en los tiempos en los que sus hijos eran pequeños era otra cosa. La señora Prudencia comenzaba Navidad a principios de octubre, cuando los niños acababan las clases. Los llevaba al mercado a comprar manzanas y duraznos y los convencía para que la ayudaran a hacerlos en conserva. Los niños estaban con ella en la cocina durante muchas horas. Le ayudaban no solo para la elaboración de las conservas, también cuando les preparaba pasteles o arroz con leche o flanes de vainilla.

Pero lo mejor de todo era planear el Nacimiento, que elaboraban con figuras de barro. La última vez que hicieron un nacimiento así fue la Navidad anterior a la tragedia. Yo estaba allí pero no puedo acordarme de eso porque entonces era un bebé. Lo construían frente a la casa, en el jardín, en lo que hoy es un lugar lleno de guijarros, desperdicios, hierbajos y polvo, pero que entonces estaba cubierto por una pelambre de grama verde y suave. El Nacimiento abarcaba todo el espacio, unos diez metros de ancho por dos de largo. No era fácil armar ese pequeño pueblo en miniatura del que se encargaban doña Prudencia, los niños y Vicente. Tampoco lo fue tirar todo aquello el año de la tragedia de los hijos. Ella misma se encargó de dejar caer todo ese mundo diminuto a un barranco: seis cajas con figuras elaboradas en barro de un Niño Jesús, un San José, una Virgen María, docenas de caballos y bueyes, cientos de figuras indígenas que nada tenían que ver con los judíos, carretas, vendedores, personajes de circos, una carpa pintada con rayas verticales azules y blancas, y hasta una manada de leones pintados de amarillo. Una tarde pidió a un taxista que la llevara. Ella llevaba las cajas donde habían guardado aquellas figuras y, al llegar a un sitio que le pareció propicio, las sacó una a una y las lanzó. No quería más Navidad. Mi abuela dice que fue por doña Prudencia por lo que mi infancia también estuvo llena de muñecos de barro alrededor de un árbol adornado con luces de colores, pero que ese medio metro cuadrado de musgo y figuritas no era nada en comparación a sus hermosas construcciones pasadas.

A finales de noviembre, doña Prudencia y el abuelo Vicente se iban al mercado a comprar los pavos más gordos que pudieran encontrar, siempre una pareja. También compraban maíz, mijo y concentrado, con los que hacían una mezcla para alimentar a los animales durante el mes entero. A veces también les daban de beber un poco de cerveza, porque decían que le concedería buen sabor a la carne. Nunca faltó pavo en la mesa de Navidad, ni siquiera en mis tiempos, pero en mis tiempos era lo único que había, mientras que en la época de mis tíos, la época del cuento de hadas, como llama Magdalena a esos años, el banquete se lo comían al día siguiente, el veinticinco, porque para el uno de enero lo que solían encargar era un lechón. Y me asegura que dicho almuerzo era de una abundancia ridícula e innecesaria. Sacaban la mesa del comedor al patio, a la sombra del árbol de mango, y entonces la cubrían primero con un mantel blanco y después dejaban los pavos o el lechón en el centro, luego venía un pastel, una fuente de arroz, una charola con un lomo relleno de vegetales, varios tipos de ensalada, gaseosas de vainilla o crema soda, refresco de horchata, vino para los mayores, pan horneado en casa, un montón de uvas, queso comprado en un almacén italiano del centro, duraznos en conserva, y no sé cuántas cosas más para que los hijos sintieran que la venida del Señor o el Año Nuevo era una fiesta como no podía haber otra, porque para Vicente así era y para la señora Prudencia también. Además, la noche de la víspera de Navidad y Año Nuevo comían los mejores tamales del mundo. Los preparaba Magdalena. Los hacía enormes, con una pechuga de pollo entera cada uno.

—Se la ponía entera y también le ponía un huevo duro, chile verde y rojo en tiras, ciruelas y pasas. El pollo lo hacía en salsa de tomate bien espesa y a la masa le ponía manteca de cerdo y azúcar. Cuando eras un niño de unos cinco o seis años, ya ni me acuerdo, hice unos tamales de esos, pero no te acordarás. Los hice porque Vicente me los pidió. Ya en esa época se sentía mal, ya estaba enfermo, y esa fue la última vez que los cociné. Me traían recuerdos espantosos porque yo los hacía para mis hijos: a Joaquín le gustaban tanto que se comía dos desde que era un niño de diez años, y una vez ya de grande lo vi tragarse tres en una noche, y eso no era poco.

Yo tenía cinco años cuando llegó doña Prudencia a mi cuarto a ofrecerme un tamal enorme, distinto a los que el abuelo compraba a las vendedoras habituales que pasaban por aquí los sábados, pues era tres veces más grande. Ella cree que no me acuerdo, pero se equivoca, porque recuerdo casi todo de ese día: ella en la cocina y las hojas de plátano tiradas sobre la mesa, la mezcla blanca de la masa sobre las hojas y luego el pollo y las pasas y las tiras de chile y los huevos, y también recuerdo que cenamos solos doña Prudencia y yo, en mi cuarto, en una mesita que poníamos junto a mi cama, y que ella me contó un cuento sobre uno de sus novios que había muerto en la Segunda Guerra Mundial. El pobre imbécil se había ido a los Estados Unidos para enrolarse en el ejército porque creía que había recibido la llamada de un ángel. Recuerdo la historia porque me dijo que ese fue el último hombre al que realmente amó en su vida, y que, de haber tenido líneas en las manos, él habría sido su destino. También recuerdo que el tamal de aquel día me pareció y me sigue pareciendo el más sabroso de cuantos he probado en mi vida y estoy seguro de que no es ni mi imaginación ni mi benevolencia la que me hace creer eso.

De aquellos años felices no le gusta hablar mucho a Magdalena, pero algunas veces ha recordado las navidades en las que compraban montones de guías de focos de colores que colocaban como agua sobre las ramas del árbol de mango y también sobre un pino que quedaba fuera de la casa. Las encendían todas las noches durante diciembre para que aquello pareciera una casa salida verdaderamente de un cuento. Les gustaba invitar a la abuela viuda de San Salvador, para que descansara y conversara de otras épocas con la señora Prudencia y con Magdalena, porque pasaban horas hablando acordándose de otros años, de los abuelos de la casa de los bambúes, por ejemplo, que habían muerto el mismo día y los habían encontrado una mañana del año cincuenta y cinco, abrazados y acostados en una hamaca, como niños dormidos, junto al fuego de la cocina de barro y leña donde una olla de frijoles hervía por última vez.

—Se murieron enamorados, como yo de tu padre —decía la madre a Magdalena.

—Así es lindo morirse —contestaba Magdalena, con los ojos acuosos, perdidos en la memoria y el aroma de esa casa llena de viento y de historias que ya no creía pero que entonces le parecían más hermosas que nunca, y pensaba, sin decírselo a su madre, que en realidad era una pena que todo terminara siempre por perderse. Magdalena sabía que las cosas eran así, por eso trataba lo máximo posible de disfrutar esos pequeños momentos que había inventado su Vicente, porque sabía que esas cosas no duraban mucho, porque esa es la naturaleza de lo hermoso: lo momentáneo, lo efímero. Ni los banquetes de los días de Navidad, ni sus cenas a la luz de las velas los 15 de noviembre para celebrar el día que se casaron en la Alcaldía ruinosa de Los Planes de Renderos, ni sus huidas los viernes por la noche al cine ni sus paseos los sábados por la tarde al zoológico con los niños, ni sus excursiones que duraban tres días a la montaña o al mar o sus visitas todos los agostos al convento de Santa Lucía, donde había vivido Vicente cuando niño y donde las monjas les daban a probar sus dulces y sus flanes y su té de hojitas de menta. Todo terminaría no siendo. Todo terminaría sumido en las memorias. Incluso lo más simple, lo absolutamente cotidiano.

3

De las noches de víspera de Navidad, más que de cualquier otra noche de sus vidas, sacaron mis tíos el gusto por cantar. Su padre les enseñaba villancicos, los mismos que le habían enseñado a él las monjas cuando niño. El tío José Luis tenía una voz dulce y entonada, y cuando cumplió veinte años se enamoró perdidamente de una muchacha de la universidad y le compuso hermosas canciones. Yo jamás las escuché, pero sí leí una de las obritas de teatro escritas por el tío Mario. También le vi en unas fotografías representando una obra con un grupo de la universidad.

La noche de Navidad la casa de Magdalena estaba llena de música. Los tíos cantaban y mi padre tocaba la guitarra. Él pasó las navidades de los últimos años en esta casa. Mi abuela dice que era un muchacho brillante, que fue compañero del tío José Luis en la universidad, y que una Nochebuena, dos años antes de la tragedia, le regaló un enorme corazón de chocolate.

—Este es para usted doña Magdalena y este para Blanca.

—Qué sabroso se ve, gracias Juan.

—De nada, doña Magdalena.

—Madre, Juan le quería decir algo a usted y a mi padre.

—Llama a tu padre pues, a ver qué tiene que decirnos Juanito.

173

—A mi padre ya se lo ha dicho, pero no se atrevía con usted —le confesó la hija.

—Ya sabía yo que a mí me iban a dejar la última.

—No es eso señora Magdalena, lo que pasa es que estaba esperando a que me dieran el chocolate para traérselo.

—Sí, sí, me imagino. Pero mira, si cuando hablaste con Vicente él te dejó, yo no te voy a decir que no. Ya sabes que aquí tú no eres un extraño y yo ya me imaginaba que esto iba a pasar, así que quédate tranquilo, yo solo te pido que me respetes a la muchacha, porque eso sí tienes que hacerlo. No te olvides de que confiamos en ti. No nos vayas a defraudar.

—Usted sabe que no la voy a defraudar.

Un año más tarde tuvo que volver a hablar con los abuelos para decirles que Blanca, mi madre, estaba embarazada.

—Nos lo dijo la víspera de Navidad —me dice Magdalena, entre un bocado de tamal y otro de café —pero no nos enfadamos, más bien nos resignamos, era buen muchacho y se notaba que estaba enamorado.

—¿Y tocaba bien la guitarra?

—Tocaba muy bien. Había estudiado con no sé quién.

—¿Entonces se vinieron a vivir aquí?

—No quedaba otra. Yo esa noche le pregunté a Vicente si por alguna razón mágica le quedaba algo de su dinero ahorrado en la maleta, y él me dijo que sí, que todavía tenía un poco y que iba a tocar mantener al niño que iba a nacer para que la hija y el yerno siguieran estudiando.

—¿Y los tíos varones no dijeron nada?

—Joaquín se enfadó bastante con ella pero por idiota, por no cuidarse si iba a hacer esas cosas, porque hasta eso hay que hacerlo bien, pero con él no se enfadaron, no fueron déspotas como mis hermanos, tu abuelo los educó bien, los hizo cristianos, no patanes; y además, como eran amigos, amigos de salir a llevar serenatas a las muchachas y cosas así, había cariño.

—¿Y por eso la noche en que se murieron estaban todos juntos?

—Por eso fue. Yo esa noche la presentí, pero no supe qué era. Nadie puede imaginarse qué es eso: una noche tenía una familia, y al día siguiente un montón de muertos. Una cosa es que se te muera un hijo y otra que se te mueran todos. No te queda por qué vivir. No te queda nada bueno dentro y eso te jode más que nada. Con aquello conocí el odio. Porque no fue dolor, sino odio. El dolor vino después. Enorme. Tan enorme que nos destruyó. Destruyó a tu abuelo, a mí, a ti. Cuando tengas hijos nunca les vayas a contar nada de esto. Nunca. Hazme caso. Si se lo cuentas también los vas a fastidiar a ellos. El odio no descansa. Todo este espanto y esta tristeza comenzó esa noche y no se ha acabado todavía. Tu abuelo, que siempre había sido un hombre fuerte, se encorvó y enfermó de todas esas cosas. Se convirtió en algo distinto y yo también. ¿Te imaginas lo que pudo sentir alguien como yo? ¿Te imaginas todo lo que quise que pasara ese día?

—No, no me imagino.

—No te lo imaginas porque no me crees. Pero yo soy la niebla. ¿Me entiendes?

—No, no la entiendo.

—Un día me vas a entender. Y me vas a creer, que es lo mismo. Y cuando eso pase, solo recuerda una cosa: el odio era demasiado grande.

La abuela Magdalena no dice las cosas claras cuando se refiere a esa noche. Quiere decir y no puede. No se atreve.

Sé que ella tuvo un sueño la tarde de aquel día, porque me lo contó la señora Prudencia.

—Está amargada porque siente que pudo hacer algo y no hizo nada —me dijo doña Prudencia.

—¿Y qué soñó?

—Vio a los hijos y a su yerno sentados alrededor de una fogata, estaban cantando y la fogata se apagaba y quedaban a oscuras, pero no les importaba y seguían cantando. El sueño le pareció muy bonito y pensó que era algo bueno, así que no le dio importancia. Era su cuarto sueño, el cuarto de su vida. Tú sabías que ella no sueña, ¿verdad?

—No, no lo sabía.

Entonces no lo sabía. Ella me lo confesó después. Doña Prudencia me dijo que esa noche Magdalena observó a los hijos arreglarse, a Mario ponerse la camisa a cuadros que su padre le había regalado en su cumpleaños, sintió el olor a colonia de afeitar de Joaquín, vio en el baño a mi madre y mi tía Eva pintarse los ojos y los labios y arreglarse el cabello, largo, lacio, oscurísimo. Le recordaron a cuando eran niñas, muy iguales. Luego vio a mi padre conmigo en brazos y dice que ella le pidió que me dejara con doña Prudencia y que él le hizo caso y después entró a su cuarto. Más tarde salió de su habitación y los tíos de la suya, llevaban dos guitarras, una Joaquín, otra mi padre, y se despidieron del abuelo Vicente, que les dio las llaves de su coche, y después de ella, que aprovechó para decirles a todos que no estaba de acuerdo con esas salidas a esa hora, que la situación ya no era la misma que antes, que San Salvador se había vuelto demasiado peligroso y que los grupos de muchachos levantaban sospechas. También les dijo que Vicente no pensaba lo mismo porque él a veces no vivía en la realidad, creía que todo estaba bien o que nada estaba mal pero ella sí lo sabía y les pidió que si no le iban a hacer caso de no marcharse, al menos tuvieran cuidado. Todos asintieron y luego salieron de la casa y ella se dirigió al patio, donde estaba Vicente sentado en una mecedora, al fresco de la noche, y dice que cuando escuchó el ruido del motor del coche al arrancar yo empecé a llorar, que oyeron mis gritos en el cuarto, pero que luego me callé cuando ella llegó a darme la pacha y a contarme un cuento.

Era mediados de los años setenta. Los rumores de guerra circulaban por todo el país, pero Magdalena se quedó tranquila porque en el sueño los había visto felices. Se confió.

—No es que yo viva en un cuento —dijo el abuelo Vicente esa noche—, lo que pasa es que ¿para qué me voy a amargar la vida pensando que les va a pasar algo?

—En este país va a haber guerra —dijo Magdalena, segura, solemne.

—¿Sientes eso? —preguntó Vicente.

—No es que lo sienta, es que es evidente, todo lo que está pasando, los muchachos de la universidad que han secuestrado, los saqueos a las casas, los muertos tirados en la carretera. Algo va a pasar, algo grande quiero decir. No creo que haya vuelta atrás, la situación es terrible.

—Eso sí es maldad —dijo Vicente.

—Tú no sabes nada de lo que es maldad, así que deja ese cuento ya.

—No seas grosera, Magdalena.

—No te lo digo por grosera, sino porque tú eres un hombre bueno, no me imagino otro como tú, por eso te lo digo, y para mí lo que dices no es maldad, la guerra es pura estupidez. Para mí la maldad es otra cosa.

La señora Prudencia salió al patio y se sentó con ellos. Era una noche fresca y sin nubes. El cielo estaba lleno de estrellas y los árboles de sombra.

—Una vez tuve un novio —dijo doña Prudencia —, que me dijo que él tenía sueños donde veía gente de otro planeta.

—Vaya, usted con lo que sale —dijo Vicente.

—Era feo el desgraciado.

—Esta doña Prudencia, tan mezquina —dijo Magdalena.

—Si la oyeran los pobrecitos novios cómo habla mal de ellos.

—Es que éste sí que era feo: era de los que, si salían a caminar a medianoche, sin camisa, al día siguiente había una leyenda nueva de espantos.

Todos se rieron. Luego siguieron hablando de otras cosas. Casi a la medianoche, mientras el abuelo Vicente les hablaba de su época trabajando en el Canal de Panamá, sobre la ocasión en la que había visto un submarino norteamericano emerger cerca del muelle, la abuela Magdalena escuchó la voz de uno de sus hijos con total claridad: "Mama", "Mama", eso dijo, sin tilde. Era la voz de Joaquín. Entonces comenzó la angustia.

4

Antes de la una de la madrugada recibieron una llamada anónima que les dijo que sus hijos y todos los que estaban reunidos en una casa de la colonia Centroamérica estaban muertos. Fue una mujer que no quiso identificarse. Les dio una dirección y les pidió ir a reclamar los cuerpos. La llamada la recibió Magdalena, que no lloró, se sentó en el suelo y se puso la mano sobre la boca. Vicente vio la muerte en sus ojos. Se arrodilló junto a ella y le preguntó "Son los niños, ¿verdad?". Ella asintió. "Están en la Centroamérica", le dijo. "¿Sabes dónde ésta?" Él le respondió que sí, porque en otras ocasiones había ido a dejar a sus hijos a esa casa, donde vivían tres compañeros de la universidad.

Como si alguien la hubiera avisado, doña Prudencia entró al cuarto y le preguntó que cómo estaban los niños y Magdalena le contestó que una mujer le había dicho que habían baleado a todos los que estaban en la fiesta. "Me dijo que los niños están muertos, Prudencia. Que los habían matado a todos", y doña Prudencia le dijo que tenían que ir a ver qué sucedía, que ella se quedaría con el bebé. Pero antes de que se marcharan les preguntó qué había pasado, si hubo un enfrentamiento o qué pero Magdalena le dijo que no sabía nada. En realidad, nunca lo supieron. La versión oficial fue la de que había sido un operativo que tenía por objetivo capturar al estudiante de Ingeniería Civil Alfredo Vela, que vivía en esa casa, un acusado de subversivo, de dirigente estudiantil miembro de un grupo revolucionario que estaba montando una célula guerrillera. Se dijo que en la incursión del ejército, que pretendía ser pacífica, los habitantes de la vivienda hicieron fuego contra los militares y estos se defendieron eliminando a los atacantes. Un vecino, sin embargo, dijo que solo escuchó gritos de parte de los chicos y no disparos. Aseguró que pudo oír cómo los militares los golpeaban y luego varias detonaciones. No ráfagas, sino una tras otra. Lo comentó en voz baja con sus otros vecinos y con los familiares de los muertos.

—En estas casas se oye todo. Los soldados llegaron y los masacraron sin preguntar. Eso fue lo que pasó.

—Esas cosas no se callan.

—Al contrario, esas cosas no se dicen. Ya he hablado demasiado.

—Pero tienes que informar a la justicia.

—Pero si los mismos que los mataron son la justicia.

Vicente y Magdalena llegaron al lugar de la masacre cerca de la una y media. Era una noche irremediablemente fría, ventosa. La casa estaba acordonada y no les dejaron pasar. Vieron, desde lejos, desde la acera, un pequeño mar rojo que se expandía a través de los cuerpos de una veintena de jóvenes que parecían apilados uno sobre otro. Todo había sucedido, al parecer, poco después de la medianoche. No había periodistas ni curiosos por allí, solo gente llorando por sus muertos. La policía no dejaba entrar a nadie. Argumentaban estar reuniendo pruebas. ¿Pruebas de qué? ¿Para qué? ¿Para quiénes? Nadie investigaría nada. No era un hecho aislado. Era uno más de muchos otros asesinatos que sucedían en todo el país, un modo de proceder, un acto que pronto se convertiría en una costumbre y que era sin duda una advertencia.

San Salvador ya no era la ciudad ni de las Bulnes, ni la de Magda, ni la de doña Margarita, ni la de don Leocadio, ni la de doña Estebana. Era otra ciudad, no quedaban ni jazmines en los jardines, ni bambúes en los predios baldíos, ni banquetes de Navidad. En esa época se evidenció lo terrible. Llegó un invierno que duró muchos años.

Los tíos, mi madre, mi padre junto a ella, quedaron esparcidos a lo largo del suelo de una casa que desde entonces ya solo sería una enorme osamenta. Quedaron hechos un amasijo que no se distinguía pero que humeaba ese olor dulzón, metálico, el olor de la sangre, ese olor que Magda sintió desde que salió de su casa a través del aire enrarecido y frío de la madrugada y que se hizo más fuerte y desagradable a medida que se acercaban al lugar. Y mientras intentaba, empinándose, mirar hacia dentro, hacia donde estaban sus hijos, no dejaba de ver escenas de sus niños, los niños que ponían el mantel los días de fiesta, los que le pedían a su padre Vicente que les leyera cuentos de miedo en las tardes lluviosas, esos que aun siendo hombres y mujeres rezaban antes de acostarse, los que nacieron uno después de otro en años sucesivos, el buen mozo de Joaquín, con su rostro a lo James Dean vestido con sus jeans azules y su camisa blanca arremangada, la tía Eva, con su cabello rizado como el de su abuela paterna y sus piernazas espectaculares de tanto hacer bicicleta, y el tío Mario y el tío José Luis y esa novia suya tan bonita, esa con la que aparece en las fotos, Ligia, la rubia que estaba tirada junto a él con el rostro completamente desfigurado, y Blanca, mi madre, de la mano de su Juan, el muchacho que había conocido a los quince años, y que murió como hubiera deseado morir, justo como se había muerto su bisabuela Estebana, de la mano del amor de su vida, pero en condiciones deplorables. En el suelo de una casa que era un jardín de amapolas oscuras, coaguladas, que emanaban un aroma infeccioso que a Magdalena le hizo vomitar tres veces, mientras pensaba, con enorme amargura, que no quería tener ya más sueños nefastos, que sus sueños la habían traicionado, le habían mentido, le habían hecho creer algo que no era, y que la vida que le quedaba ya no era vida, que sus manos se le volverían como las de doña

Prudencia, que tenían que borrársele las líneas porque ya no quedaba destino para ella.

No pudo verlos, se desmayó cuando se acercaron a esa casa rodeada de gente y de sombra. Cuando los policías dejaron pasar a los dolientes, solo Vicente entró, solo él fue adonde estaban los hijos y los recogió uno por uno, ayudando a cargarlos en la ambulancia, y luego fue a por la esposa, que estaba sentada a la sombra de unos arbustos y se la llevó a su casa, a esta casa. Se encerró con ella en su habitación, prendió unas velas y se acostó con ella y rezó, rezó durante mucho tiempo pidiendo por el alma de sus hijos y por el corazón de su mujer y por el suyo y por el del muchachito que era su nieto y se había quedado huérfano en un instante. Entonces se durmió por unas horas y quiso soñar, soñar que nada había pasado, soñar que no pasarían las horas y tendría que ir a la morgue del hospital Rosales y luego, al día siguiente, al cementerio, de la mano de su mujer, de una Magda ya nunca más hermosa, ya diluida en tristeza, los ojos sombríos, el cabello recogido bajo un pañuelo negro, el rostro envilecido y el corazón lleno de oscuridad, deseando oscuridad, atrayendo la desgracia y la sombra sobre un sitio que ella dejó de llamar ciudad y sobre una nación que dejó de llamar nación desde aquella madrugada de octubre, con el aire enrarecido, gélido, como hoy, como cuando murieron sus hijos, todos ellos, sin razón alguna más que por un odio incomprensible, un odio que ella misma, llena de un odio más grande, no podía ni puede comprender. Desde aquel día comenzó a enterrarse bajo su propia oscuridad.

5

Y ahora me atrevo a preguntarme qué tenía que hacer esa mujer, doña Prudencia, cada tarde en mi habitación hablándome de las cosas que me hablaba, de sus hombres del año treinta y tres y de su amor del año treinta y cuatro. De sus amoríos de los años cuarenta y cinco y cuarenta y nueve... por qué tenía que revelarme que ella no podía decir que no a un hombre porque no era dueña de su destino.

Una vez lo fue, cuando todavía era una niña, antes de enamorarse de un muchacho con dieciséis años.

Nunca sintió un amor más grande que ese en su vida. Fue en una época en la que los amores eran para siempre y por eso aún lo quiere y lo querrá cada día de lo que le falta por vivir. Aquel buen muchacho era zapatero, hijo y nieto de zapateros, y vivía en una casa diminuta y blanca frente a la que ella pasaba todas las tardes. Pronto el joven dejó la aguja y el hilo para pasear con ella por el parque y tomar atole. Cuando se besaban, él le decía que iban a casarse pronto y le prometía que su vida sería de ella, al tiempo que ella le prometía que su vida y su destino ya eran de él.

Entonces Prudencia era una chiquilla de trece años que no asistía a la escuela pero que sabía leer porque su madre se había preocupado de enseñarle. Desde los siete trabajaba en la panadería de su abuelo junto con sus primos, dos tíos, su abuela y su madre. Desde los once repartía pan en el mercado y ayudaba a vender en las afueras de la iglesia. Al mercado iba de madrugada, a las cuatro, a la iglesia por las tardes, desde las tres y media hasta las seis o seis y media. Cuando se enamoró salía después del almuerzo al parque y esperaba junto al kiosco. En esa época empezó a usar pintura en las mejillas, algo muy leve para que su madre no lo notara. También en esos meses se compró un catecismo y lo estudió. Sabía que si quería casarse debía, antes, hacer la comunión.

Una noche, el hijo del zapatero fue a comprar pan y se quedó un buen rato conversando con ella. A la noche siguiente, sucedió lo mismo. En la tercera ocasión, la madre le preguntó si las intenciones de aquel muchacho eran serias.

—¿Intenciones de qué, mamá?

—¿Tú crees que yo soy tonta?

—No, mamá.

—¿Y qué te ha dicho ese hombre?

—Decirme...

—Sí, algo te habrá dicho, si mira cómo andas de perdida.

—¿Perdida cómo, mamá?

—Perdida mirando al cielo. ¿Qué te ha dicho?

—Que se quiere casar conmigo.

—¿Y a ese loco qué le pasa? ¿Te ha pedido ya la mano?

—Sí.

—¿Y te dejaste?

—Pues sí.

—Tonta, más lista que yo saliste —dijo la mujer y sonrió. Y luego, agregó, aún con la sonrisa en la cara: Es guapo el jodido ese. Es el hijo de Tomás, el zapatero, ¿verdad?

—Sí. Sí a las dos cosas —dijo la chica, que sonrió como su madre.

—Ten cuidado y no te vayas a andar besuqueando en el parque que ya ves cómo es la gente...

—Qué exagerada, mamá.

—De exagerada nada. Me haces caso.

—De acuerdo —dijo la chica, mientras pensaba que debía tener más cuidado si no quería problemas.

Era marzo cuando el hijo del zapatero le llevó unos zapatos de mujer. Los había hecho él mismo.

—Mi padre apenas me ha ayudado —le dijo. Eran negros, de tacón bajo, cerrados, con una hebilla dorada. Ella soltó alguna lágrima de emoción. Cuando, más tarde, se los mostró a su madre, a ella le encantaron y pensó que podría encargarle un par. Unos días más tarde la chica llegó con el encargo. Eran exactamente iguales. Cuando la madre preguntó sobre lo que debía pagar, la chica le dijo que eran un obsequio, que el chico no quería aceptar un centavo. Apenada, la mujer lo invitó a almorzar y esa fue la primera vez que el hijo del zapatero visitó la casa de Prudencia.

Fue un domingo de finales de marzo y almorzaron en el patio, bajo un enorme árbol de mango, donde colocaron una mesa. El hijo del zapatero fue uno más en ese encuentro familiar en el que, además de Prudencia y su madre, estuvieron dos hermanos menores, la abuela y una tía llamada Rosalía. A media tarde hubo chocolate y pan. Luego, cerca de las cinco, tuvieron que meter la mesa en el comedor porque empezó a llover. Como el chico no podía marcharse debido a la lluvia, lo invitaron a cenar y él aceptó gustoso. Al domingo siguiente volvió a ir para el almuerzo y así todos los domingos que siguieron hasta que, meses más tarde, el muchacho enfermó de fiebre.

Empezó en octubre, con los primeros vientos. Una fiebre extraña iba y venía. Todos pensaron entonces que le habían hecho un mal. Alguna mujer egoísta podía ser la culpable, o un enemigo de su padre, o una antigua novia... Para noviembre ya no pudo levantarse de la cama. Los huesos y la cabeza no dejaban de dolerle y ella, Prudencia, no dejaba de acudir a su casa para cuidarle. Llegaba siempre con un tarro de barro con sopa de pollo o de paloma, que decían que era buena para recuperarse, o caldo de gallina india con arroz y gallo en chicha. Lo visitaba al mediodía y se marchaba a las tres, rumbo a la iglesia.

—Cuando me recupere nos casamos —le dijo el hijo del zapatero muchas veces.

—Yo te voy a cuidar hasta que estés bien —le respondía ella.

—¿Eres mía? —le preguntaba él, quizá afligido porque ella estaba sola en aquella ciudad llena de chicos sanos y él estaba postrado en una cama, sintiéndose un inútil.

—Soy tuya. Mi destino es tuyo.

—¿Y si me muero?

—No te vas a morir.

—¿Pero, y si me muero?

—Pues ya no voy a tener destino porque es tuyo y si te mueres te lo vas a llevar contigo.

Cuando el hijo del zapatero murió, tras unos últimos días de fiebre y agonía, ella no sintió solo un enorme dolor, un dolor incomprensible, profundo, también se sintió repentinamente débil, liviana, y le parecía, al salir a la calle, que el viento la empujaba y no podía controlarlo, como si fuera más fuerte que ella, que su voluntad, que su deseo por quedarse quieta en un mismo sitio.

Algo había cambiado y ella podía notarlo con total claridad. Las cosas le importaban muy poco. Su madre y sus tíos se sorprendieron de que no llorara más de lo necesario, apenas había derramado unas lágrimas silenciosas en el entierro del chico. Lo que sin duda notaron fue el silencio. Hablaba poco. Solo unas palabras a la hora de la cena. Tomó por costumbre asistir a misa a las seis de la tarde y aunque dejaba la venta de pan atendida únicamente por una prima y su hermana pequeña, nadie le dijo nada. Por eso, unos meses más tarde, diez meses, veinte meses, no lo sabe, una tarde siguió el rumbo del viento y se marchó sin decir a nadie hacia dónde.

Caminó durante tres días y no sintió hambre ni sed, ni sueño, ni ganas de parar. El viento sopló entonces todo el tiempo. Y fue cuando dejó de soplar cuando se detuvo junto a un caserío levantado en un valle. Entonces tuvo sed. El murmullo de un río le hizo seguirlo. Era un río que se perdía a través de un bosque de pinos rojos. Ella se arrodilló en la orilla y bebió largamente. Cuando sació su sed se levantó y se sentó en una piedra. Entonces un joven, que había llegado sigilosamente, le dijo:

—¿Tú no eres de aquí, verdad?

Ella, asustada, volvió la vista y respondió que no. Entonces el joven le preguntó si quería ir a su rancho, que tenía sopa de frijoles. Y ella le respondió que no quería pero que si él quería, se iría con él.

—¿Por qué?

—No lo sé.

—¿Cómo no lo va a saber? Es imposible que no lo sepa.

—Será imposible, pero yo no lo sé.

—Véngase entonces.

El joven la llevó a su rancho y la tuvo con él casi un mes, hasta que le dijo que se fuera. Después pasó varias semanas en casa de un hombre muy mayor. Después, en el rancho de un capataz. En el cuarto de un soldado. En la casa de un marino viudo. Ella no podía decir que no, aun cuando algunos de estos hombres la trataron de una manera terrible.

Pasaron los días y se fue dando cuenta de lo que sucedía: no tenía destino. Su destino se había marchado con el hijo del zapatero, por ello, lo quisiera o no, no tenía voluntad para desobedecer a aquellos que le daban un mandato. Y solo pedía a Dios que encontrara un buen hombre, uno que la quisiera lo suficiente como para no maltratarla.

Lo deseó mucho tiempo hasta que una mañana, mientras cortaba fruta, conoció al hombre con el que pasaría diez años de su vida. Un carpintero llamado Pablo al que solo pudo abandonar cuando él, durante una borrachera, le dijo que se había enamorado de otra mujer. Ella comprendió que tenía que marcharse. Aunque dolorida, frustrada, ofendida, se sintió agradecida por esos buenos años y pensó decírselo en cuanto la borrachera lo abandonara. Sin embargo, esa noche sopló un viento frío, venido desde el norte, y ella se marchó sin decirle adiós.

Apenas una semana más tarde estaba viviendo en la casa de un herrero que le había preguntado si sabía cocinar y la había contratado. Tenía tres hijos varones. Su mujer había muerto hacía unos años. Aunque la idea del herrero era tenerla como empleada, se enamoró de ella y le pidió casarse, lo que hizo, y permaneció con él casi doce años de su vida, hasta que murió de cáncer y se convirtió en viuda.

Entonces, una mañana, al salir del cementerio, el viento volvió a soplar y ella tuvo que marcharse, triste por la muerte del que había sido su marido, pero más triste aún por dejar a sus tres hijos varones, a quienes había criado y aprendido a querer. El viento la llevó por muchos sitios. Conoció nuevos hombres, vio el mar desde países que hablaban lenguas diferentes a la suya, conoció los glaciares, las montañas nevadas, un río cuya orilla parecía la orilla del mar, aprendió a comer animales cuyos nombres apenas podía pronunciar, y una noche, mientras dormía junto a un marino que había conocido la víspera, soñó con un niño que estaba en una habitación y miraba por la ventana un cielo donde caía una lluvia de hojas amarillas. Tras el niño, la sombra de una mujer. Esta mujer murmuraba. Contaba una extraña historia que ella no podía comprender. A la mañana siguiente, con la primera luz, sopló un viento venido desde el norte y ella tomó sus pocas cosas y dejó atrás lo que había que dejar atrás. Fue a una estación de tren, tomó el primero que salía, bajó varias horas más tarde, cogió un autobús, otro más, un tercero, llegó a una ciudad fría que no había visto antes, una pequeña ciudad enclavada en un valle, y luego se subió a otro autobús hacia un sitio llamado Los Planes de Renderos, bajó cerca de un parque, caminó sin pensarlo hasta una calle donde unos chicos querían hacer volar una cometa y les dijo que el viento estaba por llegar.

—Por eso tengo todas esas fotos guardadas en la cajita.

Son fotos de casi todos mis amantes. No de todos, solo de los que se portaron bien conmigo.

—Ya veo —dije.

—Pues ya ve. A veces tenía suerte, unos eran guapos, pero la mayoría es cierto que eran feos.

—Debe de ser terrible no poder decir que no.

—Lo es.

—¿Y todo empezó con lo del hijo del zapatero?

Ella entonces se ve las palmas de las manos, lisas, sin líneas. Las levanta para mostrármelas. Estiro una mano y las toco.

—El día que él murió empezaron a borrarse. No había pasado una semana cuando ya no tenía líneas en las manos. Pero no me arrepiento, fue el amor de mi vida.

6

Alguna vez doña Prudencia me dijo una cosa que ahora he comprendido que es cierta:

—Yo no vine a cuidar a las gemelas, tampoco vine a cuidar a tus tíos varones, es que ni siquiera vine a esta casa para cuidar a los hijos de tu abuela, yo vine aquí por ti. A cuidarte.

Y eso es lo que hizo: cuidarme. Durante muchos años ella fue la única que en realidad estuvo conmigo. Era la que me llevaba a matricularme a la escuela, la que me sacaba de paseo por las tardes, la que me preparaba la cena, la que hablaba conmigo cuando dormía en mi habitación. Doña Prudencia me dejaba tocarle las palmas de las manos, que eran lisas como cartílagos, y a mí me parecían fascinantes, igual que las historias de sus grandes amores que siempre tenían un triste final porque ella no pudo nunca tener otra cosa que no fueran tristes finales, porque en muchas ocasiones terminaba yéndose con alguien más, dejaba atrás todo y se iba sin poder evitarlo.

Y de pronto, un día de octubre, mientras yo estaba sentado bajo la sombra del pino que está frente a la casa, ella se sentó conmigo.

—Y ¿qué pensabas?

—Que me hubiera gustado conocerlo, que me hubiera

gustado vivir cuando todo era bueno y hacían cosas en Navidad. La próxima semana es la última de clases, son los exámenes y después salgo de vacaciones.

—Dichoso.

—Más o menos. Es que no tengo nada que hacer.

—Sí vas a tener qué hacer —me dijo ella y sonrió.

—Pues no veo qué.

—No ves qué ahora, porque estás ciego, pero yo no soy ciega como tú, así que si te digo que vas a tener qué hacer, créeme, porque es cierto.

—Pero ¿por qué lo dice?

—Ya sabrás por qué —me dijo, voceándome, algo que no había hecho nunca hasta entonces —, no seas impaciente.

—Bueno, qué me queda si no esperar, aunque no sepa qué voy a esperar, además, ya estoy aburrido de hacerlo —dije, incrédulo —. Uno se aburre si no sabe qué espera.

Ambos se quedaron un rato en silencio: el muchacho ese que era entonces, y ella, la mujer sin líneas. Entonces doña Prudencia dijo:

—Va a haber viento otra vez.

—¿Cómo?

—Va a haber viento otra vez, viento del norte, como dentro de media hora.

—¿Viento del norte? —le pregunté, sin entender lo que decía o por qué me lo decía —.

—Sí y tú no tienes una cometa.

—Hace años que no tengo una cometa.

—Deberías tener una, hoy va a ser propicio el viento para elevar cometas.

—Si quiere vamos a comprar una.

—No, no tengo tiempo de cometas ahora, ya no tengo tiempo de cometas, tengo que ir a un lugar.

—Pero ya casi son las cinco y mi abuela no creo que quiera hacer la cena ella.

—Pues va a tener que querer o vas a tener que hacerla tú, porque yo tengo que irme.

—¿Adónde?

—Adonde el viento tenga que llevarme.

—¿Qué le pasa, doña Prude?

—No es que me pase algo, pero ya es el tiempo.

—¿Tiempo de qué?

—Tiempo de irme.

—¿De irse de la casa?

—Sí.

—¿Es en serio lo que me dice?

—Tan serio como que dentro de media hora va a haber viento, viento que viene del norte.

—¿Y ya tiene hecha su maleta? —pregunté, solo por preguntar.

—Desde ayer.

—¿Desde ayer y no me había dicho nada?

—Te lo estoy diciendo ahora.

—Pero ¿por qué? No entiendo. ¿Por qué tiene que irse?

—Porque así tiene que ser.

—Pero no puede dejarme solo ahora, no con la señora esa. Si apenas me habla.

—La señora esa es tu abuela, la madre de tu madre.

—Pero es como si no lo fuera... ¿ella ya lo sabe?

—Sí, ya sabe que me voy, pero lo acepta, sabía que un día iba a llegar el tiempo de irme, que iba a venir el viento otra vez y lo único que ha hecho ha sido agradecerme por los años que estuve en esta casa.

—Yo no es que no se lo agradezca, pero ¿se da cuenta de que me está dejando solo? ¿Se da cuenta de lo que hace? Doña Prude... ¿Cómo va a hacer eso? ¿Dónde se va a ir?

—No sé, eso no es asunto mío, solo tengo que irme. Así como vine, así mismo me voy.

—¿Ese es su destino, irse?

—Yo no tengo destino, bien lo sabes.

—¿Entonces?... No la entiendo, y entiendo menos por qué quiere dejarme solo. ¿Quién me va a hacer la cena? ¿Con quién voy a conversar? Doña Prude, usted no debería irse, mire, quién me va... doña Prude.

—Mira, cálmate... No te puedes poner así. Yo solo soy

una vieja, una vieja sin destino, y tú tienes el tuyo, el tuyo propio.

—Pero no quiero quedarme solo con ella en la casa.

—Va a venir alguien para ti.

—¿Alguien?

—Sí, va a venir alguien para ti, yo lo sé, y va a ser pronto, confía en mí, yo sé lo que te digo y por qué te lo digo.

—Doña Prude —dije una vez más, pero podía decirlo dos mil veces, tres mil veces más y ella no hubiera cambiado de parecer.

Era octubre, y media hora más tarde sopló un viento frío que vino supongo que del norte aunque lo ignoro, solo sé que hubo viento y que doña Prudencia salió de esta casa cargando su maleta fea, celeste, sucia, con la que había venido muchos años antes, esa donde guardaba sus pertenencias: dos vestidos largos y negros, tres blusas blancas y una roja y otra celeste, varios retratos, todos ellos de hombres, unas sandalias que le había regalado la última Navidad, un adorno que le había comprado como presente en el mayo anterior y un libro de oraciones que le había legado el abuelo Vicente al morir. No quise acompañarla a coger el autobús. Me quedé frente a la casa, mirando hacia el cielo, sin atreverme a decirle adiós.

—¿No te vas a despedir, muchachito?

Eso me dijo, pero yo no quise o no pude decir nada. Entonces ella se acercó para abrazarme y yo me dejé abrazar, pero no pude hacer más. Entonces el viento comenzó a soplar. Las ramas de los árboles diluyeron su silbido y lo volvieron una música lenta, y ella se separó de mí, me revolvió el cabello, me besó una, dos veces, tres veces en la frente, en los pómulos, y entonces caminó lentamente, tan lentamente como si no quisiera irse, pero no se detuvo, yo pensé que podría detenerse y regresar, pero no lo hizo, no volvió ni esa noche, ni al día siguiente, ni al año siguiente, ni nunca más. Desapareció después de un recodo y entonces se convirtió en memoria, dejó de ser una mujer para volverse estas palabras que intentan recordarla, esta

192

voz que intenta recrearla a pesar de la sombra y el olvido genuino, porque cada vez la olvido más, porque cada vez menos ese amor es amor auténtico. Es otra cosa, resentimiento tal vez, dolor quizás, no lo sé con exactitud porque no he podido comprender nunca su huida, su partida de esta casa donde dejó inevitablemente solos a un muchacho que no sabía cómo empezar a vivir y a una anciana que de vivir no quería saber nada. Dos sombras en un escenario de sombras cuyas respiraciones bien podrían confundirse con las de los muertos que ya desde entonces habitaban a su alrededor, y, más específicamente, en ese cuarto al fondo de esta casa. Era octubre entonces y hacía viento y el viento era frío. Debo decir que el frío, ese frío, no se ha marchado desde entonces.

EL DÍA SEXTO

1

Cenábamos siempre a las seis y media y ella comía y hablaba con una lentitud que en ocasiones resultaba soporífera. Dejábamos encendida la luz del patio y una pequeña lámpara de mesa en su cuarto que apenas proyectaba una luz breve, amarillenta, que a mí me parecía traída de otro tiempo, acaso de esos años de los que ella me da cuenta. A veces me preguntaba "¿Cómo van las cosas?" Pero no se refería a cómo iban las cosas para mí, sino las cosas del mundo. "¿Has leído el diario?", quería saber, y yo le contestaba que sí, sin importar si era cierto o no, y entonces le informaba sobre lo que supuestamente había leído, de los nuevos viajes a la Luna, que los europeos iban a ir allí para colonizarla, y que en Marte encontraron unas pirámides parecidas a las de Egipto, que mandaron a investigarlas pero que el piloto de la nave había muerto. Ella me escuchaba en silencio. También le contaba lo que habían encontrado en la Antártida, o le hablaba de aquellos edificios como iglesias y de una mujer enorme de casi tres metros que hallaron suspendida en el hielo, o sobre la peste de París y los miles de muertos que había provocado en la ciudad… Y entonces cambiaba su rostro, ella que no me estaba poniendo atención porque creía que le mentía, que le decía patrañas, me decía entonces algo acerca de Ana

Bulnes, me contaba otra vez su historia y me decía que pobrecita, porque ella vivía en París, que a saber si la peste le llegó y, como estaría muy anciana ya, seguro que podía haberla matado. Se callaba un momento. Ambos nos callábamos. Luego ella me preguntaba por los vecinos, siempre lo mismo, que si ya murió este o el otro y yo le hablaba de cosas más cercanas.

—¿Todavía vive doña Úrsula? —me pregunta.

—No —le miento —. ¿No se acuerda que le dije que se había muerto? Un infarto le dio a la pobre.

Soy incapaz de decirle que todavía vive, que hace unos días escuché mariachis en su casa, que cumplía setenta y dos años, que su marido, don Fausto, todavía trabaja, tiene la misma empresa de repuestos de automóviles, pero se ve que le va muy bien, a juzgar por los viajes que hicieron a México, a Costa Rica o a Colombia, pero que a doña Úrsula no le interesa ver a nadie y menos ir a visitar a la anciana que vive en esa casa con olor a excrementos de gatos y a oscuridad, porque la oscuridad se ha densificado, ha adquirido forma, peso, olor, y el olor espanta a los vecinos, tanto que algunos me ven y siento que se asustan, que me retiran la mirada, que a lo mejor creen que en esa casa habitan solo espectros y me ven a mí como verían a un fantasma.

Soy incapaz de decirle la verdad. Ni siquiera hay un motivo importante para hacerlo.

Cuando quiere saber algo de mí me pregunta por Sonia, ese es el inicio, es como un termómetro donde puede medirme. Preguntarme por ella es su forma de decirme que se interesa por mí, que todavía me quiere, si es que eso es posible, si es que ese sentimiento puede habitar en ella —quiero creer que sí —. No le cuento mucho porque no tengo mucho que decir. Al principio le hablaba de nuestra tragedia, pero ahora ya no quiero hablar más de eso y ella lo entiende. Más bien le cambio el tema y ella me deja irme por donde quiero. Le digo que he leído en el periódico que van tres muertos ya por mordidas de perros en el centro, que la Alcaldía ha enviado agentes a los edificios viejos donde habitan para matarlos, pero que todavía no hay nada. Le comento que leí que una testigo dice haber visto al menos cinco pitbulls deambulando por las calles después de medianoche, que no sabía de dónde habían salido, que ella los vio desde la ventana de un motel mientras husmeaban en un promontorio de basura. La policía sospecha que alguien los suelta, no creen que sea una horda salvaje que anda por ahí. Le digo que yo creo en lo de la horda porque sé de unos amigos a los que se les perdió una pareja de esa raza hacía unos meses y que esos perros no andan por ahí como si nada. Ella no sabe de lo que hablo, en sus tiempos no había perros en las calles matando gente, si acaso había espantos, pero no perros, quiero decir perros reales culpables de una viuda, varios huérfanos y tres madres dolientes, según cuenta el periódico.

—Eso sí es malignidad —me dice ella.

—Yo por eso no voy al centro, y menos de noche.

—No vayas a ir, porque a saber si esos animales son reales o no.

—¿Usted cree que son otra cosa?

—Esos han de ser demonios.

—No sé, no creo.

—Tú no lo sabes pero yo sí, han de ser demonios, date cuenta de que solo salen por la noche y de que, cuando los buscan por el día, no los encuentran. Son lo que te digo, demonios, y cuando menos nos lo esperemos estarán por todos lados. ¿Cerraste con tranca la puerta de la sala?

—No.

—Anda, ciérrala, le echas doble llave y el pasador, no vaya a ser que pase algo.

Me levanto y voy a la sala y hago lo que ella me ha pedido. No importa que la historia de los perros sea una invención mía: no me atrevo a no hacerle caso. Entonces me habla de su último sueño, que en realidad es el último. Ha soñado conmigo. Se calla un instante, me pone una mano en la frente, me acaricia el cabello, me dice que su sombra posee un aroma, que no son los jazmines los que están manando ese perfume que llega con la brisa, que desde hace mucho los jazmines no huelen más, que es ella la que huele así, que es su piel la que emana ese aroma un poco ácido que he notado desde hace algunos días. La casa está a oscuras salvo por el foco del patio y la pequeña lámpara que apenas ilumina la habitación donde estamos. La abuela Magda entonces vuelve a hablar de otras épocas, retrocedemos juntos, y una luz menos pálida viene de no sé dónde.

2

Esta casa no siempre estuvo tan abandonada. Cuando se mudaron los abuelos, era un sitio amplio lleno de ventanas con cortinas, con un mantel blanco con revuelos que adornaba la mesa del comedor y un montón de chicos corriendo, yendo de una habitación a otra, saliendo al patio engramado, verde, sin hojas secas desperdigadas, y no se escuchaba el ruido de los ratones royendo las puertas de la cocina, escabulléndose a través de la oscuridad de los rincones detrás de la refrigeradora cuando me oyen entrar a la casa o una luz repentina los sorprende.

Al principio, cuando la abuela y yo nos quedamos solos, el cambio no fue demasiado drástico, porque casi inmediatamente llegó Sonia. La casa no perdió del todo lo poco que tenía, ni las flores en los floreros, ni el mantel sobre la mesa, ni las luces de la sala, del comedor y de la cocina encendidas. Aunque, ya para entonces, el suelo del patio estaba cubierto no solo de hojas, sino también de cemento. La abuela había mandado encementarlo años antes, cuando la hierba se secó y el polvo y la hojarasca lo habían poblado por completo y el abuelo empezó a padecer de alergias por la suciedad. Cuando Sonia venía, yo me encargaba de mantener la casa limpia. Barría, trapeaba, lavaba la vajilla, si algún ratón aparecía por ahí ponía una trampa, compraba veneno y lo esparcía por las esquinas escondidas, y limpiaba el amago de musgo de la bañera del baño de los abuelos. Después de la muerte del abuelo, la abuela Magda pasó unas tres semanas en su cuarto, tirada en la cama, pero una noche, al llegar del trabajo, la encontré en el patio sentada en la mecedora, viendo las estrellas, y entonces me dijo algo así como que las de hacía años se veían más brillantes, y yo le dije que a lo mejor era cierto porque antes no había tanta contaminación.

Esa noche nos quedamos fuera hasta muy tarde y yo le pregunté si se sentía mal, porque parecía que estaba un poco enferma y ella me contestó que estaba bien, aunque yo la notaba un poco extraña. La abuela me preguntó si la veía oscura y yo le dije que no, que nada de eso, pero en realidad sí era eso, había empezado a volverse un poco gris, muy leve entonces, y ella lo sabía. Al día siguiente, por la tarde, la encontré en el cuarto del patio, al fondo de la casa, acomodando algunas cosas. Me vio llegar, pero no dijo nada y solo me miró, y yo le ayudé a mover unos muebles viejos, le advertí de que tuviera cuidado con los ratones y ella me afirmó que no había un solo ratón en aquella habitación.

Movimos muebles, cadáveres de sillas, cajas llenas de viejos cuadernos de escuela, de discos demasiado antiguos, de ropa carcomida por las polillas, acomodamos una cama de madera de caoba, sin colchón, junto a la puerta de entrada, pusimos una mesita de noche junto a ella y yo traje del cuarto de los abuelos la vieja lámpara de bronce para colocarla allí. Después traje el colchón de la cama de mi cuarto, porque la abuela me dijo que desde esa noche ella iba a dormir allí, que la otra habitación le traía muchos recuerdos y mucha tristeza y que no quería dormir en ese lugar, que trasladara, por favor, el colchón de mi cama porque era más pequeño, y que yo durmiera en la cama matrimonial, que era más cómoda que la mía. Entonces pensé que el cambio sería solo momentáneo, pero no lo fue. Ninguno de esos cambios lo fue. Ni la oscuridad de la abuela, ni la oscuridad de la habitación.

3

Era septiembre cuando Sonia se fue, octubre cuando la
señora Prudencia tomó su maleta y se marchó, y agosto
cuando se fueron mis padres y los tíos, así que para el pasado noviembre esperaba, aunque fuera secretamente, que
algo sucediera. La abuela estaba una tonalidad más oscura.
Un día de finales de mes, me refiero a noviembre, ella me
dijo que no me preocupara más, que ese mes no era su
mes, que su mes era junio, y que dejara de pensar en un
orden establecido, que eso no era de esa manera, que viera
que el abuelo había sido diciembre, que ése era su mes y
que noviembre era mi mes y de nadie más en esa casa.

—Noviembre es tuyo. Lo quieras o no.

Entonces no quise preguntarle nada más acerca de mi
noviembre, de por qué me decía eso, que cómo lo sabía,
tal vez ni siquiera pensé que fuera cierto, aunque ahora lo
sepa y lo asuma con la mayor tranquilidad. Aquel mes fue
un mes de revelaciones. Fue entonces cuando me contó
la historia del nacimiento mítico del abuelo y también me
reveló ese secreto de por qué los nombres de mi madre y
mi tía están en la pared del patio, escrito uno sobre otro.
Y fue también entonces, creo que el último día de ese mes,
cuando, al llegar del trabajo, la encontré revisando unos
viejos periódicos de los años ochenta. Me dijo que los tenía

guardados para mí, porque tenía que mostrarme una cosa importante. Entonces dejé la cena sobre la mesita y ella me dio la hoja de un periódico. La sección de Cultura. Luego me dio una revista de arte, abierta en la página treinta y cinco. La revista se llamaba "ElArt".

—Mira —me dijo, dándome la revista.

El del periódico era un artículo del año ochenta y uno, y el de la revista era del año ochenta y siete. El primero hablaba de la exposición de las pinturas de una artista francesa llamada Rose Michelet. Mostraban fotografías de algunas pinturas: "Niños jugando en la hierba", que eran unos niños en pantalones cortos tirados sobre una colina; "Reunión de familia", donde se veía a unas mujeres muy mayores vestidas de blanco, y otro que ese llamaba "Vuelo de golondrinas", que era un cielo en tonalidad sepia y unas golondrinas negras sobre las puntas de unos pinos.

—¿Te gustan las pinturas?

—Son bonitas.

—Sí, son muy bonitas —dijo ella.

Entonces dejé a un lado el periódico y cogí la revista. El artículo era de varias páginas, pero no entendí nada porque estaba en francés. En cambio, tenía muchas ilustraciones de pinturas con fechas. Una de 1951, de unas jóvenes paseando en un parque, otra del 63, donde se veía una ciudad y al fondo un atardecer, otra más reciente, del año 86, con unos niños en una balsa remontando un río. Y luego había algunas pinturas más, todas de distintas épocas.

—En la época en la que publicaron este artículo promocionaban un libro con la vida de la artista —me explicó la abuela —. De eso trata el artículo, por eso es largo y tiene fotos de varias épocas, porque repasan su vida a través de las pinturas.

Es bastante buena —dije con sinceridad, pues las pinturas me habían gustado.

—Es muy buena, en eso se convirtió ella, eso es lo que siempre quiso ser. Michelet es el apellido del esposo.

—Sí, ya entiendo.

—Cuando vi la pintura de los niños me impresionó bastante —dijo ella—. No sé por qué nunca pensé que los había visto, y es lógico, todo sucedió la misma mañana y en el mismo río, ella se los debió de haber encontrado en algún momento. Mira las expresiones de ellos.

—Están asombrados.

—Eso, asombrados. Parece que la quieren saludar y no se atreven.

—Sí, eso parece.

Cogí el periódico otra vez y vi la foto de la pintura de reunión de familia. Le faltaba el padre, pero estaban la madre, dos hermanas y otra mujer más: era ella, la artista. Rose Michelet o Rosa Michelet Bulnes. No lo sé. Yo hubiera querido creerle, creer que esa mujer de la foto era su amiga, que se había ido a Europa y había sido una artista famosa a fin de cuentas, que había cambiado su nombre a uno más refinado sin dejar de ser el mismo, Rosa, Rose, y había tomado el apellido de su esposo y que había expuesto en Bruselas, en París, en Madrid, en Nueva York, y que esos niños en esa balsa eran unos niños que un día salieron del puerto de Valparaíso y llegaron a San Salvador buscando a un hombre que les había escrito una carta que había enviado en una botella al mar, el mismo día que un niño milagroso se había ahogado al intentar caminar sobre las aguas gélidas de un río. Pero ya no podía. Ya no era el muchacho que era. La vida se había vuelto algo terrible y me había cambiado.

—Me encontré la revista por casualidad, en la clínica de un dentista —me confesó la abuela —. La tenían en la sala de espera con otro montón de revistas y yo cogí esa, justo esa, y en esa me encontré a Rosa, casi cincuenta años después. Y un día vino Vicente con el diario, que, según me dijo, lo había encontrado en una biblioteca. Había ido a buscar diarios viejos, solo por curiosidad, y había reconocido el mismo nombre de la revista que yo tenía. Eso fue como tres meses después. Así es el destino, para que aprendas.

—Así es —dije yo, sin convicción alguna.

—Sí, así es —dijo ella, absolutamente convencida.

—He traído carne guisada —dije.

—¿Tiene bastantes patatas?

—Sí, montones de patatas, y hoy tengo chocolate en vez de café.

—Está haciendo frío.

—Es por el viento.

—El chocolate es bueno para el frío.

—Por eso lo he traído...

4

—Soñé contigo —me dijo.

—¿Anoche?

—No, no fue anoche, fue hace tiempo, pero quería decírtelo, es que ya es hora de decírtelo.

—¿Y por qué cree que ya es hora de decírmelo?

—Porque sí.

—¿Me va a decir qué ha sido lo que ha soñado?

—No fue un sueño malo.

—Pero si todos sus sueños son malos.

—Este no es malo, aunque lo sea.

—¿Me va a pasar algo?

—A todos nos pasa algo un día, la vida no es un cuento de hadas.

—¿Qué pasa en el sueño? ¿No me lo va a contar?

—No, no te lo puedo contar, pero si te digo que he soñado contigo es porque no es malo. Créeme lo que te digo.

—Y ¿por qué asume que no le voy a creer?

—Porque tú eres así, nunca me crees nada y piensas que no me doy cuenta.

—No es que no la crea....

—No me crees, pero te voy a decir una cosa: no todo es terrible. Tú estabas riéndote en el sueño.

—¿Riéndome?

—Por eso te digo que el sueño no es malo, y te vi viejo, así que para tu noviembre falta bastante todavía.

—¿Riéndome?... ¿Estaba solo?

—No, no estabas solo.

—¿Con una mujer?

—Sí, con una mujer. Ella también estaba feliz y detrás de ti caían hojas amarillas, de un color brillante, como si fueran de oro.

—¿Y eso qué significa?

—Eso creo que significa que tu vida va a estar llena de cosas bonitas hasta el final.

No quise decir nada más. Era una imagen muy alentadora. Pensé en mi madre, en mi padre, en los tíos y el abuelo. También pensé en doña Prudencia, que hasta ella se había ido, ella que ni siquiera era dueña de su destino, y enseguida pensé que a lo mejor le hubiera gustado quedarse, y que por la misma razón que había venido, había tenido que irse: porque la vida le mandaba a hacerlo y ella no podía hacer otra cosa que obedecer.

Magdalena seguía contando cosas. No recuerdo cuáles. Supongo que sobre su vida en esta casa o sobre sus años de juventud. No importa.

Era diciembre y los árboles siseaban dulcemente fuera. Me dieron unas ganas enormes de ir a caminar por el parque. A media tarde salí de casa. El frío se había instalado en esta parte del mundo y el cielo era de un azul pálido, sin nubes. Deambulé de un lado para otro. Me adentré en un bosquecillo de pinos viejos y escuché el sonido que el viento hacía en sus ramas, esa canción extraña y antigua que no pude descifrar e imaginé que estaba dando cuenta de algo, como los antiguos bardos que andaban de pueblo en pueblo dando cuenta de viejas hazañas en sus composiciones. Durante aquel paseo, recordando el sueño que mi abuela decía que había tenido, me di cuenta de que debía prepararme para el próximo junio y no para noviembre. Y desde entonces me preparé para ello. Para esa oscuridad que se avecinaba y que fui descubriendo en ella día tras día, noche a noche, en su voz, que se volvía más espesa, un tanto carrasposa, en sus ojos, que se tornaban lechosos, como si estuvieran ciegos, en su silueta, que iba adquiriendo una tonalidad más apagada, en la textura de su piel, que se parecía a la del papel periódico.

Un día de enero pensé que ella era ceniza y que los carbones de donde provenía estaban encendidos. Cuando la miraba y pensaba en eso, ella me dijo que era el momento de poner la carne en la parrilla.

—La carne a la parrilla se pone cuando el fuego está suave porque si no se quema lo de arriba y lo de en medio queda crudo —, me dijo.

Magdalena siguió hablando y me dijo que tenía los dientes sanos todavía y que deberíamos asar unos buenos pedazos de carne porque hacía un montón de años que no comía algo parecido. La carne debió esperar hasta marzo, a mediados, hasta un viernes en el que me dieron unas ganas enormes de comer carne asada y pasé por el mercado para comprar los mejores bistecs que pude permitirme. También compré carbón y saqué de la bodega una vieja parrilla que había estado en desuso al menos los últimos cinco años, si no más.

—Vamos a comer carne. ¿Se acuerda que hace días me dijo que quería comer carne asada?

—Sí me acuerdo, pero me acuerdo también que hoy es viernes de Cuaresma y no se come carne.

—¡A la puerca!... ¿y entonces?

—No me hagas caso, comámonos la carne... ¿sabes cómo le gustaba a tu abuelo?

—¿Cómo?

—Ponla con cerveza y le echas mostaza. Mostaza, pimienta, cerveza y cáscaras de papaya, para ablandarla, o pedazos de piña.

—La cerveza la puedo conseguir, pero la piña no creo y la papaya menos.

Fui a la tienda y compré una cerveza. Luego preparé la carne como mi abuela me dijo y la comimos en el patio mientras ella me decía que sus dientes estaban sanos y que la carne estaba sabrosa y suave. Entonces se hizo de noche, una muy buena noche, tibia, nubosa, sin estrellas. Ella me dijo que la noche estaba oscura y yo la dejé hablar porque me pareció una tontería, y ella insistió en que no era que estaba oscura si no más oscura, como cuando está por llover pero no llueve. De alguna parte vino una brisa impregnada por un aroma leve, y Magdalena me preguntó si me daba cuenta de que la noche estaba oscura, de que había brisa y de ese olor tan bueno que venía del jardín de la iglesia seguramente, y yo le respondí que sí me daba cuenta, y ella me dijo, otra vez, que había soñado conmigo, pero como si jamás me lo hubiera dicho antes.

—Soñé contigo.

—¿Anoche? —le pregunté, como si nunca se lo hubiera preguntado.

—No, no fue anoche, fue hace tiempo, pero quería decírtelo, es que ya es hora de decírtelo.

Para finales de mayo dejó de hablar algunas noches. No tenía ganas de contarme más cosas, decía que ya lo sabía todo y que de todas formas yo era un desconsiderado por no creerle nada. Desde esa época salí antes del trabajo porque la abuela se estaba yendo.

Se había oscurecido cada vez más.

El día primero de junio amanecí pensando que la casa era demasiado silenciosa. Que, en cuanto pudiera, tenía que comprar unos cuantos pájaros. Nunca había oído cantar a un canario. Ni siquiera había visto jamás un canario y no sabía si alguien vendía esos pájaros. Luego pensé que lo que quería era ruido y que con unos gallos bastaba para eso. Unos buenos gallos por la mañana para que cantaran y espantaran la noche. Eso pensé. Luego me levanté, me bañé, preparé café para mí y té de manzanilla para ella y me fui a su cuarto. Casi no pude descubrirla porque estaba en el fondo de la habitación, pero la oscilación de la mecedora me indicó dónde se encontraba.

—Estaba hablando con ellos —me dijo cuando me acerqué.

—Ya está usted con sus cosas. Ya le dije que no hay nadie aquí y usted sigue con eso. Le he traído té de manzanilla. Está caliente ahorita, tómeselo ya.

—¿Sabe qué le gustaba a su abuelo Vicente?

—¿El qué?

—El gallo en chicha.

—El gallo en chicha, sí, ya me había dicho. A mí también me gusta.

—A veces pedía gallo en chicha para su cumpleaños y yo y Prudencia se lo hacíamos. Prudencia cocinaba bien. ¿Se acuerda de doña Prudencia?

—Sí, sí me acuerdo.

—A ti Sonia nunca te hubiera hecho gallo en chicha.

—¿Qué tiene que ver Sonia? Sonia le ha de estar preparando los huevos al marido para que se vaya a trabajar, así que deje de pensar en ella.

—No estaba pensando en ella, estaba pensando en que tienes que estar tranquilo con eso, que tienes que olvidarte de todo lo de ella y seguir y que mejor consigas una mujer en vez de andar pensando en comprar unos gallos. Si quieres cómpralos, y que la mujer que tengas te los prepare como le gustaban a tu abuelo, en chicha.

Cuando tenía unos dieciséis años la abuela Magdalena me dejó libre. Desde que se había ido doña Prudencia, ella se había encargado de mí. A los trece o catorce me llevaba con ella a rezar el rosario a la salita de su cuarto. Un día, menos mal, entendió que detestaba aquello y que a ella esos rezos no le llenaban como antes, y entonces dejó de obligarme y dejó de obligarse a sí misma. En ocasiones, por la noche, iba a mi habitación y me preguntaba cosas del colegio y que cómo iba en las notas. También me dijo que si andaba de novio con una muchacha no me fijara solo en un cuerpo bonito, que existían otras cosas en una mujer. Eso duró hasta los dieciséis, cuando me dijo que si quería podía bajar a San Salvador más adelante, pero que tuviera cuidado porque, a pesar de que se veía que la ciudad estaba creciendo y todo parecía ir bien, todo era una apariencia, porque en el fondo estaba podrida y se iba a pudrir más. También me dijo que había algunas gentes que podían oler esas cosas. Que ella no podía, pero había gente que sí, que conocía a algunas, y que le habían dicho que estaba cada vez más fétida. Eso fue allá por noviembre de ese año, cuando salí del colegio, y desde entonces no volvió a mi cuarto para nada. El abuelo Vicente no me dejó como ella, pero de todas formas murió y eso fue una forma más definitiva de dejarme. Ella siempre me decía que Dios había bendecido a su Vicente porque se murió mientras dormía, y que los que se mueren así viven en el paraíso porque creen que están soñando siempre, como los niños, y que eso fue precisamente el abuelo, un niño, y que si envejeció y enfermó fue solo por la tragedia de los seis hijos, y que ella estaba convencida de eso.

Hace unos meses, la abuela Magdalena me dijo que me había dejado libre porque así debía ser. Que ella tuvo alguna vez la tendencia de protegerme, a hacerme creer que todo estaba bien, que el pollo en salsa de tomate y el fresco con hielo y el flan de media tarde eran suficientes para la vida y que nada había más allá de la casa, salvo la iglesia los domingos y el parque y sus elotes asados con limón y sal, pero uno tiene necesidades. Necesidades de hombre cuando se hace hombre, e incluso antes, en el camino de hacerse hombre. Y por eso me soltó, para que pudiera prepararme para la vida lo mejor que pudiera, porque el sufrimiento es bueno para eso y la soledad también. Cuando me lo dijo yo le pregunté algo de noviembre, de cuándo sería mi noviembre, el noviembre que ella había soñado, y ella me respondió que no tenía nada que decir, que hacía falta mucho para eso, y entonces pensé en cómo sería mi vida dentro de veinte años, noviembre dentro de veinte años o veintitrés años o veinticinco, y que el "mucho tiempo" de hoy será "cualquier momento" de entonces, el tiempo suficiente para que su "mucho tiempo" se cumpla.

No sé si sirve de algo pensar en nada más. Fuera hay viento otra vez y los árboles vuelven a cantar dulcemente.

También viene un olor como el de aquella noche.

—¿Lo notas? —me pregunta ella.

—Sí, lo noto.

—Es el perfume del jardín de la iglesia. Es como siempre, muy suave y muy dulce.

—Es bueno.

—Ahora me voy a dormir, tengo sueño.

—Duérmase pues —le dije yo, y me hubiera querido acercar a la abuela, y darle un abrazo de buenas noches, como cuando era un niño, pero ya no estaba, la oscuridad de la habitación y ella se habían convertido en una misma cosa, y apenas podía escuchar su voz interrumpida a veces por el murmullo del viento en los árboles de afuera, de la calle, donde la gente deambulaba a esa hora temprana de la noche y los faroles iluminaban las aceras con una luz amarillenta antes que blanca y el ruido espantoso de los coches apagaba la musiquilla ingenua de los grillos, y las estrellas, tantas en aquel cielo sin nubes, brillaban para nadie.

5

Como era evidente lo que iba a suceder, me preparé. Ella tenía algún dinero y a mediados de mayo me lo dio. Me dijo que era para lo que hiciera falta y yo no dudé de que me lo daba para algo específico. Entonces me informé de dónde los vendían y cuál era el precio. Elegí uno bastante sencillo, forrado por dentro con tela ocre afelpada. Pagué lo que pedían y dije que era probable que lo fuera a usar pronto, pero que todavía no era el momento. Cuando lo fue, fui a recogerlo a mediodía en un taxi y me lo llevé a casa. Hice al taxista entrar en la cochera, que no se había abierto en años, y me ayudó a llevarlo a la sala.

Cuando se marchó preparé las cosas de Magdalena. Algunas aún se encontraban en la habitación que había sido de ella y del abuelo Vicente. Un viejo frasco de perfume casi vacío, un chal negro que había tejido ella misma, unos zapatos que debían de ser de los años sesenta o cincuenta, unos lentes oscuros, y un peine enorme y desgastado. También saqué los vestidos del clóset, los doblé y los hice un pequeño bulto y junto a las otras cosas las puse donde debía haber puesto su cuerpo. Pero no era suficiente. Me quedé un rato mirando por una ventana hasta que decidí que no iba a pasar nada si iba a la habitación del fondo de la casa y buscaba algunas otras cosas.

Entré sin detenerme hasta una ventana de aquella habitación y la abrí por completo. Daba hacia afuera, justo debajo de un enorme árbol, por lo que la claridad siempre era escasa. Busqué bajo la cama y encontré cinco pares de zapatos, y en un mueble junto a la cama había batas y vestidos, todos doblados, ordenados como para hacer una maleta. También encontré una caja llena de antiguas pastillas, dos botes de perfume y uno de crema para las manos, un cepillo de dientes, tres ollas pequeñas, unos cuantos periódicos apilados en una esquina junto a la cama, varias sábanas con las que envolví todo y unas cuantas cadenas de plata y de fantasía que habían sido de ella, de mi tía y de mi madre.

La habitación al fondo de la casa es un rectángulo. Se entra por una puerta al final del patio, junto a la puerta está la cama, junto a la cama un mueble y junto al mueble una ventana. Luego hay otra puerta, muy pequeña, que es la del baño, y la cama está situada frente a ella. El baño queda en una esquina y separa en dos mitades el fondo de la habitación. La otra mitad está ocupada por un viejo camarote que alguna vez fue ocupado por mis tíos. Allí los vi. Eran como una fotografía de familia. La sensación fue extraña, no tuve miedo, incluso podría decir que era casi de familiaridad. Estaba sentado en la cama, envolviendo con una sábana las cosas que iba a sacar de aquel lugar. Casi nunca miraba hacia donde estaba el camarote y entonces tampoco quería hacerlo. Pero lo hice. Giré el cuello y miré hacia afuera, hacia la claridad, pensé que tendría que salir corriendo de aquel lugar, de aquella habitación, de aquella casa, pero al instante me di cuenta de que no podía irme, así que volví a girar el cuello, muy despacio, y comprobé que aún estaban allí, dos hombres sentados en unas mecedoras puestas una junto a la otra. Después una mujer llegó de quién sabe dónde y se paró junto a uno de los hombres. Los veía con claridad e incluso escuché algo así como un murmullo y entonces ya no supe si era la brisa que venía del patio o eran ellos. La mujer era joven y me pareció muy bella. Por momentos los veía con claridad, tanto que creí reconocer a uno de los hombres. Estaba casi seguro de que era el hombre de la habitación olorosa a medicinas, mucho más joven que cuando estaba aquí: el abuelo Vicente. Me emocioné, y entonces se dieron la vuelta todos a la vez, como si se hubieran percatado de mi presencia y nos miramos y entonces mirándome a los ojos aquella mujer sonrió. Sentí el peso frío de una lágrima por mi pómulo. Una sola. Y la creí suficiente. Yo era el término de una historia, la historia de una mujer y de los seres antes de ella y después de ella. Yo era muy joven aún para haberles visto morir a todos, para ser el punto final, pero así era, y todo tenía sentido pues lo sabía, lo había aprendido a través del relato hecho de docenas de relatos que esa mujer me había contado.

Cuando salí del lugar supe que no cerraría esa puerta, que estaría abierta y que volvería muchas veces y me sentaría en la mecedora que había sido de doña Magdalena y volvería a escuchar las historias que ya había escuchado. No tenía miedo. De alguna manera estaba feliz. Estaba lleno de una emoción que había aprendido de niño y había olvidado y comprendí que había recuperado algo que había perdido sin saberlo. Creía. Y no comprendía cómo no me había dado cuenta antes, esa mujer, Magdalena, no mentía, ella misma era la verdad, había desaparecido, se había vuelto la penumbra, no la oscuridad, la penumbra, y había podido verla otra vez aun cuando había partido.

Después de acomodar sus cosas en el féretro, lo cerré y empecé a organizar el sepelio. Sería al día siguiente, a las diez de la mañana. La gente del cementerio me dijo que iban a enviar una carroza fúnebre a las nueve treinta, que media hora era más que suficiente porque el cementerio estaba cerca. Les dije que me parecía bien, que los esperaba a las nueve treinta. Luego caminé hasta la tienda a buscar a Paulo. Se me murió la abuela, le dije en cuanto lo vi, y le pedí que avisara a quien él quisiera.

Por la noche llegaron unas señoras con tocados blancos en la cabeza y cantaron unas alabanzas y luego llegaron otras, no sé quiénes, y llevaron café y pan y, a eso de las diez rezaron el rosario y me dieron otra vez el pésame. Yo me tomé unas pastillas y me fui a dormir, pero antes les dije que iba a cerrar la casa, y ellas me dijeron que no importaba, que se quedarían allí toda la noche, pero no era buena idea, a lo mejor a alguna le daba por ver a la niña Magdalena por última vez y se atrevían a levantar la tapa del féretro. Qué horror encontrarse a ese montón de ropa envuelta en una sábana y un jazmín encima y no a doña Magdalena, la difunta, y como no podía decirles que se me había extinguido, que se me había convertido en sombra y que estaba en el cuarto del fondo de la casa, indistinguible entre otras muchas sombras que allí habitaban, preferí echarlas a la calle a esa hora y quedarme solo. Al día siguiente, ninguna acudió al sepelio.

Pero no importó. Fue un día luminoso. El silencio nunca me pareció más hermoso y genuino que entonces. Mucho tiempo después de que los encargados del cementerio hubieran echado la tierra encima del ataúd, yo permanecía allí porque sin duda esperaba algo. Atrás, entre los árboles, a unos cincuenta metros y entre la sombra, vi tres hombres. De reojo primero. Fijamente después. Los tíos, pensé. Y volví a verlos a cada instante pensando que podía estar alguien más con ellos. En un momento pensé que podían acercarse pero no lo hicieron. Sin darme cuenta se marcharon, pero sé que lo hicieron con el viento porque de pronto sopló un viento frío venido desde el norte y las ramas sisearon y yo sentí una presencia más grande, no atrás, sino junto a mí, y si el viento me abrazaba sabía quién me estaba abrazando. Cerré los ojos y dije, sin pronunciar palabra: Qué bueno que está aquí. Porque estaba, aunque no estuviera. De alguna forma se había enterado. Y nada me pareció más cotidiano y natural y mágico que el viento del norte trajera un mensaje de una mujer que no tenía líneas en las manos y viajaba siempre a todos los sitios cargando una maleta llena de fotografías.

Cuando el viento amainó sentí un frío más profundo y me di cuenta de que estaba solo. Y aunque entonces debí echarme a llorar, aunque entonces debí llenarme de desesperación, de miedo, de una tristeza sin límites, por alguna razón todo pareció estar bien. Comprendí que era el último, el último de una historia que había comenzado hacía mucho con un hombre que había caminado y seguía caminando incluso a través de mis pasos, pero que todo había cesado porque esas historias acabarían conmigo, y que si estaba solo era porque el final siempre nos halla solos y no tenía por qué quejarme o intentar cambiar algo pues siempre había sido como era, así fue con el primero de los hombres, milenios antes que yo, y sin duda así sería con el último, siglos o milenios más tarde, cuando nada haya en el porvenir y detrás de él queden no unas cuantas personas y unas cuantas historias sino una humanidad y su historia sea la historia de un mundo que se apaga. Y consciente de eso caminé hasta la casa que había sido y sería mi casa y mientras andaba no podía evitar pensar que, aunque era el último, también era el primero. Y que todo volvía a empezar. Y unas ganas enormes de caminar hacia donde no conocía ni podía imaginar vinieron a mí, inevitablemente.

ÍNDICE

La habitación al fondo de la casa
de Jorge Galán,
se terminó de imprimir
en Talleres Gami de Granada,
el 21 de enero
de 2014.